JN220159

義太夫節浄瑠璃未翻刻作品集成　82

青梅撰食盛
あおうめつわりざかり

傾城買指南
けいせいかいしなん

義太夫節正本刊行会 編

玉川大学出版部

表紙図版

義太夫節浄瑠璃全盛期の竹本座と豊竹座
（早稲田大学演劇博物館蔵『竹豊故事』より）

刊行にあたって

浄瑠璃が板本として出版され始めてから、ほぼ四百年の時が経つ。その間に刊行された作品は千数百点にも達するであろう。わが国の代表的劇作家近松門左衛門の極く初期の作品を以て、古浄瑠璃と当流（新）浄瑠璃とに二分するのが浄瑠璃史の定説であるが、古浄瑠璃時代の作品（約五百点）は全てといってよいほど活字化されている。当流浄瑠璃となると、近松を初め、紀海音、錦文流、西沢一風、福内鬼外、菅専助の六作者に関してはそれぞれ全集が刊行されているが、それ以外の作者のものは文学全集等に収められた名作と称されるものに限られている。活字化された作品が極めて少ないのが現状である。

近代になると明治維新以前の書物が活字化されることとなる。この潮流の中に浄瑠璃名作も含まれ、その数は少なくない。だが名作の重複といわざるをえない。

近世芸能の浄瑠璃は近代になっても文楽の名のもと、舞台の芸能として隆盛を続けた。大阪という一都市に限らず、全国に文楽人口は充ち満ちていたといっても過言ではない。文楽を支える人口の相当数は浄瑠璃を習得する人口とも合致した。文楽は太夫、三味線、人形の三業によって成り立つ芸能であるが、太夫と三味線だけで浄瑠璃を聞かせること、今でいう素浄瑠璃でも十分満足できる。玄人は素浄瑠璃の会を開催する。素人もまた己の芸を披露することを試みる。これは浄瑠璃が音曲として勝れた表現技法を会得していることによるが、さらにいえば語られる内容が聴く者の心を揺り動かすためである。言葉を替えていえば文学としての鑑賞にも十分耐え得る内容を浄瑠璃が備えているということであろう。
浄瑠璃が語られ始めてさほど時を経ぬ時代から、文学として享受された記録は、全国各地に拾うことが出来る。何故か。手短にいおう。浄瑠璃は近世庶民の倫理観、人生観を構築していく上で必読書であった。それ故に近代の出版物に多く含まれたのである。

近世から近代まで、わが国の一般庶民に愛好された浄瑠璃、そこで展開された思想は、血肉となって伝えられたといってもよい。現代は如何であろうか。断絶があるという外はない。理由は浄瑠璃との接触の機が非常に薄くなったためである。この不幸な状況を打破すべく、私どもは義太夫節正本刊行会を平成十年に組織して活動を始めた。未翻刻作品を世に送り出し、あわせて戦前に翻刻があるものの手に入りにくく、今や未翻刻と同様の作品も対象とすることとした。

先に述べた古浄瑠璃の作品や浄瑠璃作者の全集は学術出版の形をとったが、ここに提供する「集成」は、誰もが一度は手にとらねばならなかった小・中学校の教科書を意識した造本にした。近代日本における個性あふれる教育機関として知られる玉川大学の出版部において、この「集成」が世に出ることも、何かの巡り合わせではなかろうか。このことは会員一同の喜びでもあり、今は読者の一人でも多からんことを祈る気持ちである。

右は第一期刊行時の趣意に多少の手を加えたもので、今も当初の意識を持続している。

第二期に至り賛同した数人の若い研究者の参加を得、第三期以降は更に賛同者を増加した。刊行会の発展の上でも心強く、学問の継承の上でも、大変喜ばしいことである。

＊

ここまでが、第七期の刊行決定直後に、ご他界なさった鳥越文蔵先生のご執筆によるものである。

今回も、「集成」の続刊を準備する間に、日本学術振興会から令和四年度・五年度科学研究費補助金及び令和六年度学術研究助成基金助成金の交付を受け、浄瑠璃正本の調査、デジタル・アーカイブ拡充に向けてのデータ作成を進めることができた。さらに日本学術振興会令和六年度科学研究費補助金研究成果公開促進費の助成にも恵まれたので、引き続き玉川大学出版部により「義太夫節浄瑠璃未翻刻作品集成」第八期として、十一作を刊行する運びとなった次第である。

なお、第八期の原稿作成最中の令和四年に、正本刊行会において長くご指導くださった内山美樹子先生が逝去された。先生からは「集成」の収載作品として、戦後数十年間に刊行された文学全集等に収載された作品も近年では入手しにくくなってきたことを鑑み、それらに収載された翻刻作品も改めて取り上げるべきとの方針をお示しいただいた。本研究会はその方針にのっとり、今期以降作品を選定していくこととした。

終わりにこの「集成」刊行にあたって底本を提供してくださった、大倉集古館、国立劇場、松竹大谷図書館、天理大学附属天理図書館、東京都立中央図書館加賀文庫、文楽協会豊竹山城少掾文庫、早稲田大学演劇博物館、諸本の閲覧を許された所蔵者・機関各位に篤く御礼を申し上げる。

令和六年　六月

義太夫節正本刊行会

目次

凡例

一、底本　出来得る限り初板初摺の七行本を用いた。

一、作品名　内題によった。

一、校訂方針　底本を忠実に翻刻することを原則としたが、次のような校訂を施した。

1　丁付　丁移りの箇所は本文中に「（　）」を施し、その中に実丁数を洋数字で示し、表「オ」、裏「ウ」の略号を付した。

2　文字　①平仮名、片仮名とも現行の字体を用いた。

②常用漢字表、人名漢字表に収録されているものはその字体を使用することを原則とした。ただし、一部底本の表記に従って複数の字体を使用したものもある。

（例）回／廻　食／喰　杯／盃　竜／龍　涙／涕　婿／壻／聟

③特殊な略体・草体・合字などは表記を改めた。

（例）↓様　↓部（ただし夕↓夕べ）　↓候　↓郎

↓参らせ候　↓給　↓也　↓こと　↓こゑ

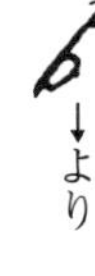→より　→かしく　→まゐる　→さま

④踊字は、原則として平仮名は「ゝ」、片仮名は「ヽ」、漢字「々」に統一した。ただし「〱」は底本のままとした。

⑤仮名遣い、清濁、誤字、衍字は底本のとおりとした。

⑥＊は原本の「ママ」の意であるが、極力付さないこととした。

3　譜　墨譜は全て省略したが、文字譜は全て採用し、本文行の右、または振り仮名の右の適切と思われる位置に付した。

4　太夫　語る太夫を指定した略号は、それを「□」で囲い、文字譜の位置に付した。

5　句点　「。」で統一した。

6　破損　底本が破損などにより判読不能の場合は、同板の他本により補ったが、一々断ることはしなかった。

7　改行　本文は曲節等を配慮して適宜改行した。

一、解題　底本の書誌、番付・絵尽の有無（『義太夫年表　近世篇』に依拠）、初演年・劇場、主要登場人物、梗概で構成し、補記として校異本に触れることもある。

青梅撰食盛

青梅撰食盛

作者紀海音

草に木にたとゑてみれは若衆梅。女は桜坊ン様の山吹衣ま袖より。ぼたんのさかりりんとしたぶしのすがたはおのづから。うぶにそみたるくれないのそのふのたねや末葉まで。わきてゑんしう浜松は御家中ひろき其中に。小身なれど手をおいておもき山脇十蔵の。屋敷作りのおものずき其折ふしの月（1オ）花に。かゑてたしなむぶげいの道みぎりもふかきやぶがきの。むかふに目あてのあづちをかまへ本弓のけいこまと。戸田卜斎をしはんに立門弟ぬまづ杢之進。南條定七はた源八いづれも弓矢引つがい。こぶしをかためひぢをはり矢(や)じりをそろへこゑをかけ。我おとらじとあらそひしはいかめし。うこそ見へにけれ。
卜斎はつく〲とけいこに気を付目をくばり。ホウおの〱見事〱。（1ウ）しやほうりきのいれ所村
のし、おき矢のけいぢう。はねのぎんみにいたるまで残る所はなけれ共。どうでもたいがかたまらぬあな
がち人にゐかたふと。思ふ計ははげみでない一ぶんに油だんなく。工夫(くふう)の心すはりなばしぜんとてきちう
致すもの。すでにこうしの給ふにもゐることはくんしにたとへ。あたらざれは其身にもとむ。手前を直
し随分(ずいぶん)とこうをつむこそ第一と。さもこまやかにいふ所へ。（2オ）

あるじ山脇十蔵は同名半平もろ共に。かしこに帰れは卜斎(ぼくさい)。ハア十蔵殿お帰りか。兼てお心やすさのまゝ
おるすをも帰り見ず。ゐばを借用仕りゆる〱けいこ致すだん。ぶ礼のいたりと相のぶる。十蔵ゑしやく
して是は扨いたみ入。よいばをもては品により物ほしにさへかすならひ。ましてや御念比といひ殊にはか
ねて極(きはめ)のけいこ日。ざいしゆく致す筈(はつ)なれ共。同名伴六只今は名も半平と改(あらため)大（2ウ）坂の住居(ちうきよ)。町人

に罷成候へ共当所の人数改にて。としに一どはきはまつて判形に罷こす。其義によつて今朝より御役所へ召つれ出。それより一家のはし〴〵へ暫のたいめん則今夜八ツ立に大坂へ立帰る。用意何かに取まぎれぶてい主の段御免あれ。コリヤ半平。いぜんのお師匠とも立衆たいめん致せと詞の下。半平いんぎんに。

先以卜斎様。御そく才に御しのぎ。ひとへに満足仕る。師弟のちなみ折〳〵は（3オ）御おんの御見舞申筈。何をいふても只今は商人の身のいそがしく。年に一度の参着さへ昨晩参りて明朝は。罷上る仕合ゆへ。おのづからのぢよさいもの御ゆるし下さるべし。杢之進殿定七殿。源八殿をはじめとして御ぶさた計。顔見れは昔を思ひなつかしい。先は御無事で珍重と身は町人をひげしても。どこやらぶしの花うつぼ商人さすそおしかりし。

卜斎は手を打て扨も〳〵ひさしぶり。山脇伴六時分より殊の（3ウ）外ひまんにて。くつきやうな若者其こつがらを見るに付。思ひ出すはこなたのげい。今迄たんれんせられなば。おそらくはつかうせん物と。

つね〴〵皆共此うはさ町人とてもかくしげい。折ふしゐてもみらるゝか。いかに〳〵と色いかくる。詞半平は打笑ひ。仰せのごとく私めもせつかくならひうけたる弓。何しにすては致さね共。町屋に道具(だうぐ)ちらばはねはもとよりまなぶ人もなく。地ウみや地を心がくれ共。はやるはけいこ浄るりで。半（4オ）弓も見あたらず。たま〳〵ごとにうりじぶんとうじこまのゐ行あしを。ぎをんのかたへかけまはりけいこを見ればぞく〳〵と。ゐんりよもわすれはだおしぬぎ。よつひきひやうどやるふぜい。詞座中こぞつて舌(した)ぶるい。ひがいすな男じやが。ウ地さつてもおぞい弓力と。手をおかれて帰りしもひとへに師匠(ししやう)のおかげぞと。あだおろそかには存ぜね共青物(あを)うりのふぜいゆへ。残念(さんねん)ながらいつとなふ。きへてしまはん（4ウ）フシぜひなさとへりくだつてぞ語(かた)りける。

詞ム、さこそ〳〵すいりやうした。五年十年ゐぬとても心をすてねばさがらぬ物。地中幸ひあづちもかまへウて有久しぶりじやに只一手。其上是なる杢之進(もくのしん)前かど五かくのげいなり色しが。詞すさむとはげむちがひにておよびはせまい去ながら。互にいどみしゆかり有いざ立合て勝負(しやうぶ)あれはや〳〵見んとぞすゝめける。
半平おしすさり左様のろんは（5オ）ぶけのさた。我〳〵しきが何共はや。御めん〳〵とじたいする。十
蔵はこゑをかけ。みれんに見ゆる半平。さしあてゝお師匠(ししやう)の仰せをそむくはぶ礼なり。しゆれんたつしや
のぬまづ殿町人の身がゐまけしとて。すこしもはぢにならぬ事。罷出よと弓と矢を取そへてあたふれば。
いらゑにおよばず立上り。李之進殿さりとては。久しうぶりのお相手と。いへ共おさめしふせう顔(かほ)。かぶ
りをふれは（5ウ）半平相手の不足はともかくも。ぶけうに見ゆる御出と詞をかくれど返事もなく。にが
り切たる其ふぜい定七見かねつゝと立。時によつてはきぶせうにすゝまぬ事もゑて有もの。某相手といわ
せもはてず李之進こゑをあげ。ア、是々いらぬ物。師匠(ししやう)の御ゐを承る我等さへうごかぬに。外のばいかい
心へすひかへられよと詞の下。然らは拙者参らんと源内やがて立所を。小じりを取て引とゞめ。ハレヤレ
世話(わ)をやく衆かな。相手（6オ）になればいづれもの名がすたるが合点(かつてん)か。かつはお為を存るゆへぜ

ひ〳〵おひかへなされよと。物有げなる有様に座はしら。けてぞ見へにける。
半平もなまじいに無念におよべどさらぬ顔。杢の進殿手がわるい貴殿の芸(げい)をしあげしとてさのみ高(たか)ふはふ
かぬ物。今は各別(かくべつ)其以前互(たがい)に勝負(しやうふ)をくらべし時。五社(しや)明神のうしろ堂百本が一本も。あだやなしに見せ
付又。かけ川の大会(たいゑ)にも二日つゞけてゐもぎに勝(かち)。其（6ウ）外きにより折にふれよ程手ごりの覚があろ。
其いしゆならば猶以。わつさりと立合んいざ御出といひけれは。
杢之進ゑせ笑ひ。めづらしい事云男。シテ先そちが某と弓のこぶしに勝(かつ)たとな。ハテ先立てしれた事。シ
ヤ存外千万な。其時相手に立たるは慥山脇(わき)伴六とて。御家中(かちう)の武士(ぶし)とも立。大坂の青物やづれ半平とやら
んす町人相手に取た覚がない。いわれぬ弓をひかうよりぶん相応(さふをふ)にそろばんの。利合(りあい)を引が（7オ）近道(ちかみち)
と。さもにくていにいひこなす。半平今はかんにんのむねにせまりし顔色を。卜斎(ほくさい)はやく見て取てまん中
につゝと出。よしない所望仕出して半平手前某が何共めいわく致せども。ぶしのけんゐを立らるゝを達(たつ)て

共申されず。といふて是で果してはどふも一座がすみにくひ。中取て了簡せん。弓のけいこは取おいて是からやわらの勝負を見よ。さあ〳〵いそひで立合とあせれは半平力をゑ。いざお相手とさしむかふ。杢之（7ウ）進とがりごゑ。武士町人のわきまへなくさいさんのお望は。お師匠にも曲なしといわせもはてずヤア無法なり杢之進。もとより弓馬は武士の芸。取手やわらは町人も身の要害にたしなみて。すはや取ぞと立むかふに。武士は相手にならぬとてふところ手してゐらるゝか。ぜひ立合ざなるまいがの。然は有無に及ばぬ事。さあ〳〵勝負とせり立れは。義につめられて杢之進ふせう〴〵に身拵。いかつがましくいざこ（8オ）いとかさにかゝってつゝとよる。心へたりと身をかはし互にあてつけはねあいしが。半平は手利の達者。ほぐれてけかへす腰のほね。のつけにどうどたをれしは心地よくこそみへにける。ちり打はらい杢之進ほう〳〵おきて大ごゑあげ。表裏者の売人め。おもにゝわらじしめはいて。平生あらぎにはたらくゆへ。ひつきやうすもふ同前のあばれわざは間にあわぬ。出真剣のきつさきに命の取手を見すべしと。すでに刀（8ウ）に手をかくれば。ム、町人の刃にて侍首のやわらを見んととんでかゝるを定七源八杢之進に取付ば。十蔵は半平を引とめてしかり付。お師匠の御さはいにて一たんの無念をはれ。喧嘩は互に五ぶの持。こと相すんだ其うへにたとへ先からつのる共。もはや見ぬ顔きかぬ顔おんびんにおさまるはづ。此上ながら卜斎老杢之進殿心ていに。いきどをりなきやうにひとへに頼み存ると。さも神妙にいひければ。卜斎は打う（9オ）なづきいかにも某うけ取て。重て盃させ申さんとかう云間に日もくるゝ。もはやおいとま申さんと皆打つれて立ければ。杢之進ふり帰り。たま〳〵うでがきいたとて。いきり立は商人ゆへ。武道は各別剣じゆつが。しりたくば此方へならひにこい其時は。さつばりとくびと胴とのわかれの指南。ぎやつといわせて見すべしと。ひぢおしはつてにらみ付。さもにくさげに立かへれは。十蔵おや子はおくり出。ゐんぎんに一礼し次（9ウ）の一間に立帰り。

互に今の無念さを胸にもて共もたぬ顔。十蔵は何となく。コレ半平。夜のみぢかひに八ツ立。くたびれもつゞゐたくつろいでおねやれ。ハア是はもつたいない。わかい時のしんらうはかふてもせいと申ます。御老体のやしなひが大事先お休みなされませ。ホウおひては子にしたがへとはゑてかつてのことはざ。然らは行てねる程に。追付まどろみめされいといひすて〳〵おくへぞ入にける。

半平はさしうつむきとつおいつのむねの内（10オ）ためいき。ほつとつぎ出し。最前の悪言を無念と思ふ私より。百千増倍口惜うお腹が立てなりますまい。あつはれ山脇十蔵と。誰におとらぬ武士の身を。半平と云町人を子に持給ふゆへにより。いかいちじよくを見せまして面目なふて成ませぬ。なりかたちこそ町人なれ。もと侍の世悴じやもの。かけ入てしんでくりよ。イヤ〳〵。それでは半右衛門殿。よしないぶしの子をもらい。うきめを見るとくいうらみ。なげき給はんおいとしや。武士（10ウ）と町人二人の親。中に立たる半平は。いづれへ孝を立べしとこぶしを。にぎり居たりしが。

たんきの虫のせき上て。とかくかんにんなりがたく。討はたさんとかくごを極めそつと立て目をくばり。

おくをうかゞい床に有。硯ひきよせあんどうの。火もかき立る筆の跡しぬるしさいはかゝね共。是迄の御おんの書置一通。さら〳〵としたゝめて。巻おさめたる箱のふた。新うつぼ弓掛町青物や半右衛門殿。生所遠州浜松。山脇氏と書所におく（11オ）よりけわしき足音す。南無三法とふところゐかくすとはいざ白むくに。しりひつからげはちまきしめ。手やりかいこみ十蔵は。一ッさんにかけ出るを半平頓てかけふさがり。互に顔を見合せて。ハツトおどろく計也。

半平は取すがり。しに出立にてあはたゝしく。いつきやう千万何事と。とはれて猶もきをいらち。ヤアいわず共しれた事。元来けふの口論も。もとをたゞせは此十蔵。娘が事を先立て。きやつめがさいにもらはんと。ひたすら申こしたれ共。ぶこつ（11ウ）者をしつたるゆへ。さいおうつかいをうけつけず。山名郡の代くわん。豊田新之丞とないゐんを取むすび。かとくを立るうつぶんにて。思ひもよらぬ汝に迄。はぢをあたへし其段はゆるしてくれよ半平。ヱ、さぞ無念口おしかろ。見てゐる親をすいりやうせい。そく座に討はしつたれ共。汝にけがの有時はやしないおやゑのいひわけない。それゆへ事をしづめたり。半平が一分を十蔵立てやるべしと。又飛(とび)出るをおしとゞめ。おせきなされな待てたべ。（12オ）私が名をくださじと。命にかゑての親(おや)のじひ。忝くは候へども心をしづめ御しあんあれ。出合の詞あらそひにも恥(はぢ)をみがくは武家(ぶけ)の事。町人の半平が恥といふは欠落(かけおち)か。身上(しんしやう)しうしなふたるか。是より外はしかられても。ぶたれてもふまれても。此きやうがいの今の身に。一分(ぶん)立は候はず。然るに何の御生害(こしやうがい)おぼしとゞまり給はれとことをわけてぞわびにける。

十蔵は聞入ず。其方計へ義理(ぎり)でない。大坂のやしない親(おや)半右衛門方へ（12ウ）きこへても。たま〳〵国へ立帰り恥辱(ちじよく)を取にきよろりと。実父(じつふ)がわきみしてゐるはよく〳〵半平悪事(あくじ)ぞと。うたがはせては猶たゝぬ爰をはなせと詞の下。ハア去迚(さりとて)はきゝはけない。其半右衛門も町人。国元へ行手をひろげ。ゑようをしたと噂(うはさ)せば。くやみ腹立(はらだち)有べきが。喧嘩(けんくわ)のばをおんびんにすましたときかれたら。いか程か悦はれんすこし

もきづかいあそばされな。御身の武士に引あて丶世間の気々もはかられず。かろ〳〵敷（13オ）生害は
お年に似はぬ御たんりよ。殊に追付妹が家とく定候よし。子孫のためと思召とゞまり給へとさま〳〵に。
スエテ
心をこめてぞいさめける。
地色ウ
十蔵つく〳〵聞入てやう〳〵と打うなづき。ムウ思ひまはせは一理有。然は生害とゞまらんと持たる鑓
を下に置。ゆう〳〵とこそ座しにける。
地色ハル
半平は悦びて御き丶入忝なし。迚の事に御せい言承らんとねをおせは。侍めうり大小かけ神もつて偽り
ない。扨其方は云ごとく。町人の気になり（13ウ）ぬいて。ぶしのはぢは用ひぬな。ハテ扨余り御念が入。
毛頭きよ言仕らぬ。ム、然は慥なせいごん〳〵。ハア何が扨町人めうり乞食になる法もあれぶし道は立ま
すまい。イヤ町人のせい言は利欲にまよへはふだんも立る。汝に望むせいごんはさいぜん書た状箱。只一
目見てあんどせん。其せいごんが望ぞとせりたてられて半平。ハット計にうろつくを。十蔵やがて立より

てくわい中したる状箱を。引たくればせんかたなくさしうつ。〔中フシ〕むいてゐたりける。（14オ）
〔地色ウハル〕十蔵涙をはら〔色〕〳〵とながし。〔詞〕汝がたんきをしりし故。ふすまの間（あい）よりさしのぞき。最前（さいぜん）よりの有様を
一々残らず見とゞけし。〔地中〕二人の親の〔ウ〕おん〔ハル〕計思ひ出して大殿（との）の。〔色〕御をんの程はわすれしよな。〔詞〕十二の年（とし）より
御前へ出小性あまた有中にも。すぐれて御ふびんくわへられ其よけいにて十蔵も。ふしの御かぞうてうだ
いし。喜悦（きえつ）の眉（まゆ）をひらきしに。長崎よりの客僧（きやくそう）。けんざうすといふ相人（そうにん）。汝に刃（やいば）の難（なん）有とひそかに殿（との）へ
伝（つた）へし（14ウ）よし。ことなふおどろき思召。御前に人なき折ふし某をまねきよせ。しか〳〵の御咄天命
とは云ながら。陳（ちん）中の打じにか忠義の為に相果（あいはて）は高名とも成べきが。たんりよの生れ出頭（しゆつとう）の。あてこと
とがめ口論（かうろん）に討はたさんはむざん也。町人にして一命（めい）をつなげと有のおもき御意。〔地中〕もとよりまよふ〔ウ〕おや心
何がさて我子の為。〔ハル〕畏り奉るとお請申てそこ爰と。〔中〕尋る内に縁有て半右衛門方へけい〔ウ〕やくし。おいとま乞（こひ）
に汝をは召つれ出し其時〔ハル〕（15オ）のぼうくんの御悦び今見る〔中〕様に忝なし。〔詞〕則只今さしてゐる。あいざめの

脇指をおひざもとより取出し。ながく武道のきづなをきり。町家にすめは一腰(こし)は。命のおや共主君共。う
やもふてもあきたらず。刃は命をほろぼせ共。助(たす)かるも又刃(やいば)なり。〔地ウ〕かる〴〵〔ウ〕敷用〔ハル〕ひなと御手づから給はり
しは。汝を守るほ〔中〕うけんなり。〔中〕愛(あい)のふかきはおやなれ共我〔ハル〕子を君にさしあぐれは。忠義の為に一命をおし
むなとこそおしゆるに。町人にして其方があん（15ウ）をんなれとの御〔中〕哀み。おや十倍(はい)の主君のおんそ〔ハル〕れ
をわすれてたんりよにも。討果(うちはた)さんとは何事ぞ。天命しらずの不忠者とくどき〔スエテ〕立てぞ。泣にける。
〔地色中〕や、〔ウ〕有て涙をおさへ。〔色〕状箱をしつかとふうじ。〔ウ〕我印判(ゐんばん)を取出しと〔ハル〕しめにひしと押(おし)したゝめ。半平が前にす
へ。心をしづめてよつ〔色〕くきけ。〔詞〕其脇指(わきざし)は君の魂(たましい)。此印判は身が魂。書置ひらくは死後(しご)の事。それをとぢ
るは大せつな命の門(もん)をかたむる封印(ふうゐん)。〔地色中〕かんにんのしめ口を〔ハル〕ひらくまじとの誓文(せいもん)（16オ）にも。起請文(きしやうもん)に
も此文箱(ふはこ)。肌身(はだ)をはなさず懐中(くわいちう)し是神明(しんめい)のお祓(はらい)とも。守り共印文(ゐんもん)共ちかひを立て忠孝(ちうかう)を。思はゞ身をば
帰りみて。〔上〕しんでくれるな半平と。心詞も滝津瀬(たきつせ)に〔中フシ〕袖は。〔ハル〕いかだとうきにける。

半平せんご涙にくれ物をもいわず居たりしが。おしなをりこゑをあげ。ハア浅ましや勿体なや。主君の御恩親のじひやうふゑ孝の三つの海。わたりくらべてかぞふれはたとへ我身を百千に。くだきてもあきたらず生あれはこそほねに（16ウ）しみ。むねにとをりし御ゐけんを何しによそになし申さん。ふつつと心を取なをし武道は口にも出すまじ。あやまり入て候と手をつかへてぞわびにける。

十蔵につこと打ゑみて出かしたり満足せり。いよ〳〵相違有まいな。ハア何が扨ひるがへさぬ。ヲヽ嬉しやおちついた。是もおぬしがかわいさと。又打とけし涙なり。

はやうしみつのかねの音につづくしやん〳〵馬のすゞ。門外にこゑ高く。サア旦那殿八ツがなる。あぶ付跡付ふとんばり。はやう〳〵とよび立れは。半平（17オ）ハツト立あがり時刻に及ぶ御いとま。ヲヽ〳〵まめで。御けんごで。是程目出たい別れはない。さらりと笑ふて〳〵と。顔見合するにつこりも後の。名残と〳〵なりにける

第二

〔ハルフシ〕なには津や。〔中〕にぎわふ門もさ夜ふけて。いびきくらぶるかねのこゑ。数（かず）はいくつぞ八軒や。〔ハル〕あまのいさりとかゝげたる。宿のあんどふしん〳〵と。〔中〕浜風（はま）あをつあがりばに。おちこち人の下りぶね。（17ウ）〔フシ〕押（おし）ならんでぞこぞりよる。

〔地ハル〕船頭（せんとう）ねふりを〔色〕よびさまし。〔詞〕サア〳〵ついたぞあがらしやれ。おきわすれのないやうに。〔地中 ハル〕諸事あらためてと〔中〕いふ所へ。泊り宿のていしゆ。〔ハル〕三笠（かさ）や与次兵衛〔色〕出来り。〔詞〕まつた〳〵船頭衆。あらためる事が有。よひの内から我方にかみの衆じやが二三人。欠落者（かけおちもの）のお尋ね。島原の色じやげな。〔地ハル〕残らず舟を吟味（きんみ）して頼む〳〵とひしめけば。船頭共こゑ〴〵に。るいせんの内やう〳〵と女中は二人ばつかり。ひとりはかみ様ひとりはわかいぼつとり（18オ）様。それ〳〵そこへあがらるゝ。勝手次第にせんさくとざはめく内にしと〳〵と。苫漏(とまも)る露も情しる。ゆかりになびくなぎ袖や。小づまに色をかゝへ帯はでな姿の女房に。ばゞのつれ立其風情。あれし軒(のき)ばに三ケ月の。ひかりこぼるゝごとく也。

与次兵へ立寄てうちんの。影(かげ)に見るより打うなづき。ハヽア大かた是くさい物。ぬく〳〵と欠落(かけおち)じやの。追手の衆が此方にじやいざござれいとせる所へ。次の舟より半平は遠州(ゑんしう)よりの帰りあし。何心（18ウ）なくあがりばに男女のわめくこゑ。立よりて小でうちんヤア女房か。半平殿。是おば様扨〳〵と。互によぎなく見へければ。与次兵衛は猶うさんげに。ひかへて様子をうかゞひける。

半平はしとやかにどなたかは存ぜね共。誰も心のせく時は人たがへはある物。まさしく是は身が女房外をお尋ねなされいと。いへ共与次兵衛くはぬ顔(かほ)。扨は左様かいか様にも。町方のお内義にはばつとかうとな御風俗(ごふうぞく)。御てい様なら一つれかと。思へはそうでも有そむな（19オ）いはれやれ御そさう申たと。詞を〵

残し帰りける。

半平打笑ひそさう者と悪銀は。いか様世間におほい物。して先お長おば様と。何ゆへのかみのぼり。お袋は御無事なかどうじや様子が聞たいと。詞の内よりせき立てお長はやがて取付を。おばはかけ寄ひきはなし。ヱ、みれんな。何ッにもいやる事はない。こつちへおぢやと手を取を。半平とゞめてけうさめ顔。おばごはいかふぶきげんなが。女房に恨か身にあたりか。何共がてんのゆかぬ事お長（19ウ）どうじやと尋ぬれは。おばはいよ〳〵気をもだへ。扨しら〳〵しい空とぼけ。それにはまつてお長はの。とぼけだをれになりました。はあ是もいふまいさあこいと。いそぎ立れは半平は。猶もむかふに立へだて。それはあまりにかたむくろ。うたがひまがひも有ならひ。善悪共にいつ迄も様子をきかんといらちける。

お長涙の下よりも。とはぬもつらしとふも又。むさしあぶみのかけてだに。しろしめされぬ事ならば。聞てあはれをかけてたべ。おるす（20オ）の内に思はずも。姑ざりの力なく。しやう事なさにすご〳〵と里へもどりて母様の。朝な夕なのけふりさへ立かね給ふ其中に。四五日かゝつてゐる内に。此おば様が京参り。立より給ふを幸(さいわ)ひにゆくゑ定(さだ)めぬ下り船。よどまぬ水のゑにしにて。あひ見る顔(かほ)はかはらねど。替るは今の我身の上。男の心は川の瀬にたとへてあれど自(みづから)は。あかれた中とは思はねど。母様や此おば様は。お前も一ツつらさぞと恨(うら)みて今のすね詞。いひわけをして給は（20ウ）れとくどき。なげくぞ道理なる。

半平ハツトけでんして。さはぐ心を押(おし)しづめ。なげくは道理去ながら。ふりよに爰にて出あふがふう婦のゑんのきれぬ故。しあんしがくも有べきぞきづかいすなといひなだめ。是おばご。お腹立(はらたち)はきこへたが身共へあたりは不了簡(りやうけん)。当月はじめつかたよりも参宮(さんぐう)致すぐ様に。国元へ罷越(こし)とうりうは只三日。其外は皆旅(たび)の空(そら)状通致さんやうもなし。留主の間のいひ事を半平も一ツ所とは。まはり過た（21オ）るおうたがひ。きげんなをして此上の相談(さうたん)あれとわびければ。ナウあてどのない事うらめうか。こなたとかねて相(さう)談(たん)の慥(たしか)なしるし是みやしやれ。姑(しうとめ)御の直筆(しきひつ)。お長をばさり状。ふう婦の中ののきさりは誠のおやでも我まゝに。さつはりとはならぬ物。（地ハル）腹（はら）かさぬお袋（ふくろ）が心一ツでかゝれうか。是でも物がいわるゝかと。半平に
なげつくれば。ふしんながら取あげてつく〴〵見れはいとまの状。（色）是はと計さしうつむき二度。（フシ）あきれて
みへにける。（21ウ）

（地色ウ）おばは恨みの詞さへむねに余（あま）りて目に涙。きこへぬぞや半平殿。こなたはもとがよし有身半右衛門殿もれ
き〳〵。長が一ッ家（け）はふけばちる。こちとふぜいはうとまれてももとよりゑんはきたない物。女房さへか
はゆくばそこにへだてはあらぬはづ。姑（しうとご）御のさがなふてとりにくい御きげんに。しんぼうするは何ゆへ
ぞ男の顔（かほ）をたのしみに。くらす女ぼうに口出してひいきこそなるまいけれ。（上）影（かげ）ひなたになる程のきぼねは
折て（22オ）やられても。さのみ人はしかるまい。云ふではないがかわいそに物もみんごとぬいまする。
書出し一ツする程の目は親立があけておく。うみつむぎなら人あいなら。きりやうはこなたの覚てなり。
ちつとのおちめははでなれど。わかい時が二度（ど）はないさのみむりにもあらぬ筈（はづ）。花の盛（さかり）をうろたへて京の

おやもとさんがいゑ。いてもいられぬまづしさをねらみあふても済ぬ故。身のかたづきを奉公と思ひ定めてつれてきた。さぞ本望（22ウ）でござろうと。たくりかけ〳〵くどき。かこつぞ道理なる。

半平始終を聞入て成程〳〵一通り。かうみた所は私に恨みはことはり去ながら。神以存ぜぬ段。いか様の義も致さんと。立よるひやうしにくわい中より。状箱のおちけるをおばは取あげつく〴〵見て。あて名は青物や半右衛門様山脇氏半平とはこなたの事ではござらぬか。状通は致さぬとぬけ〳〵とよういわしやるのふ。定めしお長が事であろどのよなむごい談合ぞ。ふう切（23オ）て見ましよわい。いや〳〵そうした物でない。此方へつかはされい。ハテまぎれないかくすまい。よんで成共腹ゐんとすでにふうゐん切か丶れは。半平あはてもぎはなし箱をあくれはたちまちに。うたがひははるれ共おやのゐけんの命のふう。きるにきられぬおんあひのふかきにかへてさがなくも。やしなひは丶のどうよくさ思ひまはせどさすが又へだてし中と義を立て口には出さぬ品々の。恨みはせめて目にもる丶涙にはらす計也。（23ウ）

地色中　ハル
お長はくわつとせきあげて。詞だましやつたのぬきやつたの。地ハル其心とはしらずして母様やおば様の。恨みそしりを云なだめ半平殿はいとしげに。さもしい心はござらぬとはちげんはなつて今さらに。面目ないはづかしいうらめしの男やと。かたにくひ付ひざにより身をもだゆれは袂より一通の文落ちつたり。色

半平ちやくと取あぐれは其手に取付かみ付て。大事の物じやもどしてたべ見せてはわるいとあはてしを。取てつきのけにらみ付。色詞さられた様子（24オ）がしれかゝる。勿体なくも母人を邪見な心と恨みしが。

地ハル
帰つてじひであつたよな。ひまを取はとつたれどもふりよに逢てのまに合口。ま男の出合宿。おばごのいかつい返礼に。ちはぶみよんできかさんと。ふうおし切てくりひらけば。地ハルコハいかにさいごの一通。ハツト思へど心をしづめてよみあぐる。中

形見ながらに書置の事。一我身つたなふして。半平殿と夫婦に成申上は。お二人様をは誠のおやより大せつに思ひ参らせ候。され共たらはぬ心からお（24ウ）気にいらぬのみならんに。今迄の御哀み。あめ山忝

く思ひ参らせ候一夫婦となり申てより。終に一度の詞もあらし申さぬ中に。思ひもよらぬわかれをいたし候事よく〱のゐんのきれめとかなしさ此事に候。一かうらいばしのおば様ゑ。帰り候事もはづかしく石町のおは様。京の母様いづれもまづしきくらしに候へは。身をよせ候事もいたわしく候。かれ是思ひにせまり命のきはになり申候。残りお丶さはつきせぬ中。取わけかはゆきはやとりし我子。友にき（25オ）ゐうせ候事わくかたもなき此身のゐんぐわ。夢の世の中とは申ながら。又あらためて夢のやうに。かへす〱も。はかなく思ひ参らせ候かしく。地色ハル ハツト計に其おはり。三人共にさしうつむきこゐも。スエテ 立ずに泣しづむ。

お長やう〱顔をあげ。ハル とやかふ思ひなをしても。上 夫にはなれながらへてあられぬ命とかくごして。此世の名残り母様におめにか丶つて其後は。身をふち川にしづめんと思ひつめしにおば様に。あふての後は折もなく。今迄ながらへ侍らふぞや此世の縁は（25ウ）うすく共。未来でながくそふべしと。たのしみにした我身をば。むごいと計半平を。じつと見やりし目の内に。＊恨と恋の二瀬川みちくる。ノル中フシ しほぞ涙なる。

地色ハル おばは思はずこゑを上。中 ア、しほらしの心やな。世にはさられたハル 夫への。つらあての又いぢのとて。つい
かたづくも有に扨。命を捨てさきの世を頼むと迄はいにしへの。上 嫁かゞみにもまさるべし。ウ 去ながらとつ
くりと合点をしてみてたも。そなたひとりをおやおばが。頼み切たるつゑはしら男へ計（26オ）道立て。
二人に孝はないものかよめらさふ共云まいし。奉公さしよ共申まいいか成ひんくをしのいでも。まめな顔
見りやうれしいぞや。かならず死んでたもるなとキン なげき。中フシ わぶるぞせつなけれ。

詞 半平涙おしのごひ。思ひつめたる心ざし満足せり過分なり。何をかくさん某も国元で口論し。打はたさん
と思ひつめ早書置迄したためしを。おや十蔵の御ゐけんにて命をつなぐ封印を此状箱におされし故。ふか
きうたがひ請ながらひらく事（26ウ）成がたし。半平が書置はちゝが見付て命をのぶ。今又そなたの書置
を半平が見て助くるも。地中 行末めでたい吉左右なり。ウ 町衆又は同行中ハル たゝきまはして近日に。ふたゝび内

ゑよびもどさんおばごお長をしばしの内。こなたへお預ヶ申たい。ム、口では見事さばけれど。いつ迄草のつり詞。合点がゆかぬとかぶりふる。半平は思案して。然らば今より日を切て五日が内にさつはりと。お長を内ゑよびいれん。それ迄のお情を了簡あれと手（27オ）をすれば。おばもやう〳〵聞入てそうさへなれは互の為。もしも五日が過たらばこなたの内ゑもちこむぞや。それ迄なしにせつはして。手びろふむかいにやりまする。ちがいはないの。誓文と。互にかためゐる折ふし。かごやりませふかごやろい。やりましよいとぞいひかける。

幸東もしらんたり人めをしのぶ夫婦づれ。長をばのせてかごの戸に。付しねうちも坂東ごゑ。さねもりなりと人や見ん。

かゝる所へ与次兵衛が。噂によりしくつわの者はた〳〵と（27ウ）かけ来り。此かごなはまぎれ者ソレ引出せとのゝしれは。半平かけへだて。近比むたい千万。此内は身が女房。あらぎを出さずと通られと断いへど聞入ず。お内義様おがみたい〳〵とばれかゝれば。
ヲ、女房の開帳なら。先三百目もつてこい。ヤアいつわるまいぬかすまい。それ見よとかけよるを。なら
ぬとさゝへて入みだれあなたへ押合こなたへくづれ。しばしねぢあふ其隙に。一人はづしてかごを明。て
うちんかゝげびつくりと。こりやちがふたと飛のけば。（28オ）皆一同に首尾わるくもみ手をして腰かゞ
め。ハヽ〳〵〳〵。けつかうなお内義様。是を次手にお近付。笠の御用に立ましよといひ捨てこそにげに
けれ。
半平いかり押しづめ。ほいなけれ共親よりのゐけんの状箱押いたゝき。かんにんするが町人ふう。女房は
又当世ふう世間の人がそしらふが。はゝじや人がくすべうが。此ばつとした俤を。我等が宿のお長じやと
打つれ。てこそ　〽帰りける

第　三（28ウ）

〔ハルフシ〕世の中は。〔中〕しんき〳〵の新うつぼ。〔ウ〕地水火風(ちすいくわふう)をかり住居。〔ハル〕かうゐんはやき八百や見世内証(ないしやう)ともによしのくず。ねれた親仁(じ)はけつかうしやふきの姑(しうとめ)にが口に。よめなの袖をひたし物長とはあだのめ松茸(たけ)。〔中〕二世のゐんさへ瀬にかはる。〔ウ〕浅草のりと身はこがれ。何としやうがも松露(しやうろ)にも。〔ハル〕心計〔ウ〕をつく〳〵し。筆にはつ〔フシ〕きぬうきふしや。

〔中ウ〕よひ庚申(かうしん)を精心(しやうじん)の出しに〔ハル〕つかふて半平は。ひるより出しるす守り半右衛門甥(おい)〔色〕嘉兵衛とて。〔地ウ〕恋の物な（29オ）れわけしりが首尾(しゆび)をくろめる墨硯。手代利助がそろばんも。〔フシ〕きのどく〳〵とはじくなり。

〔地色中〕後世のもとでの〔ウ〕念仏かうやみぢをてらす〔ハル〕小てうちん。半右衛門夫婦おくより出。〔色〕〔詞〕ホ、ウ嘉兵衛。きどくにせいが出る。わかい間は銀ずき。年よつての談義(だんき)ずき。是人間の一大事同行むすびのかけ銭も。ない袖ふつてはつきあはれぬ。こよひの当やはいつとても。法度(はつと)をそむいて夜食が出る。酒もしゆんだら夜がふけふ。半平がもどるまで見世をは明（29ウ）なねまいぞと。老(おひ)のくりごとこまやかに。詞のあども針(はり)をもつ姑(しうとめ)はつこと声。半平はこん夜もどりやせぬ。おもてもうらもしめてねや。ふう婦がこゑてたゝかずばかならず戸をばあけまいぞ。合点がいたかと云けれは。コレかゝ。さがなふ物をおいやるな。養子(ようし)にきてから今日迄。夜どまりをせぬ半平が。庚申参りすればとてもどるまいとはなぜおしやる。サア半平のまいりやつた庚申様はこく町。おばの所へせんどから嫁の長めがきてゐるげな。顔(かほ)（30オ）付合せ夜もすがら庚申待をしをらふと。女の性は嫁(よめ)や子の中もほうかいりんき口。内外(うちと)の者のきく前もめいわくそふに半右門は。はて扨それもまゝにしや。見ざるきかざるいわざるが。庚申様の御誓願(こせいぐわん)。しらぬが仏なむあみだ。なむあみだ仏とくるしゆずの。つぶやきながら打つれておもてへ〳〵こそは出にけれ。

つぎ木の枝は。雨露の。めぐみもうすきもゝ桜。半平夫婦が身の上に今こそ。思ひしられたれ。

五日とかぎる約束(やくそく)の（30ウ）けふさへ暮て初夜のかね。かくごは胸(むね)に極(きは)まれど同行中のあつかいを。もしやと計頼みにて。ちしご待間(まつま)の二人づれ親のめぬすむ夜あるきは。我宿ながらしのばしくそつとくゞりに耳(みゝ)よせて。内の様子をうかゞへは。

嘉兵衛は筆を持ながらつく〴〵物を思ひ顔。ナント利助。おばゞがさきのきつそうでも。寺同行の御ゐけんで。じやけんの角(つの)がおれうかい。イヱ〳〵存もよらぬ事。生れつゐたる熊(くま)手生。今度のおこりもねが欲(よく)から。あんま取の印可(いんか)（31オ）めが。跡さきなしのしやべり口去浪人(さるらうにん)の娘とやら。年は十八敷銀(しきかね)は大金で七十両。氏系図(うぢけいづ)より慥なる商人(あきんど)ゑやりたいと。頼まれますと聞とはやわゝしいわろが小ごゑに成。どふやらそれは耳(みゝ)よりな。かね〴〵おぬしもしる通りやくにたゝずの嫁御(よめご)れう。さらりとさつて其跡へどうぞ世話してもろふてたも。かんをしてこひ一ツはいと天目(てんもく)酒に呑こんで。先へいひこむこちらゑも。返事きかせてひつそ〱。うなづきあいの最中(さいちう)と。聞さへむねも（31ウ）ひいやりとお長はそこを立のけど。半平はまだまい〱と。はいりたそふにのぞきゐる。

袖口取て引もどしあつかい衆の返事迄。待事もない我らが。最後(さいこ)のいしやうも守り迄。小やどへ出して有上にうろ〱そこにゐ給ふは。今の咄にお心が残りや。するとうらむれは。ア丶よしないことを云人かな。おれは心がのこらねど。さられたそちを此内ゑ。よびもどしたる心にて中戸口から手をひかば。それぞ誠の夫婦づれ恨みくやみも（32オ）はれぬべし。思案こそあれ暫と立しのばせて半平は。くゞり押(をし)あけずつと入。両人共にまつたであろ。日暮ぬさきにもどらうと思ひの外に当月は。いつにかはつて大参りしさいを聞は去ぬる夜。おんがくひゞき花ふりて雲中(うんちう)に御声(みこゑ)を上。庚申(かうしん)の御神体(ごしんたい)青面金剛童子(しやうめんこんがうどうじ)とは。文字(もんじ)もあをきおもてと書青(あを)きをこのみ給ふ故。青物(あを)うりを守(まも)らんとあらたに御告(みつけ)有しよし。いひ伝(つた)へ聞伝(つた)へ市のかはから打あけて。参（32ウ）る程にける程に御門前(せん)から押あふて。わに口のおゐ取つく迄ゆつくりと三時半。かゝるたつとき物語きいて内にはいられまい。嘉兵衛も利介もまいつてこい。参れ〳〵とそやされて。
つねも利介は飛介（とび）で。帯もそこ〳〵〔フシ〕かけ出れど。
〔地色中〕嘉兵衛はしろりくわんとした。〔ハル〕顔つきさへもきみわるく。〔色〕やゝしばしためろふて。〔詞〕おやぢやはゝは同行衆
とやかくと有あいさつに。夜明でなくば帰られまい。かくれて嘉兵衛も参つておじや。いやまあよしに
致シ（33オ）ましよ。相庭（さうば）のわるい折ふしひよつとしれたらあのばゝが。〔地ウ〕なみ大体（てい）じや有まいと。〔ハル〕取ても
つかぬあいさつに〔中〕かさねてかへす詞なく。〔ウ〕なる程それはよいたしなみ其心から此比は。〔ハル〕商売（しやうばい）に情（せい）がいる
旦那衆から青物（あを）の。〔中〕御用はいふてこなんだか。〔詞〕誠にわすれておりまする。平野や殿から明日はふるまいを
する半平に。ちよつと参れとお使（つかい）が二三度も立ました。ム、そうであろ〳〵。いかずばなるまい去ながら。
殊の外なるくたびれやう名代にいて聞て（33ウ）おじや。イヱ〳〵さきより念入て。献立（こんだて）も相談（さうたん）する。直（ぢき）
にと有の御使。〔地ハル〕御太義ながらと。うごかねは。〔色〕半平わざと腹立（はらたて）声。〔詞〕子細をこねる男が有。献立一ツ書（かく）程の

きりやうをもたぬ其方なら。あす日にても半平がしんだら八百や仕(し)まふかと。きめ付られてぜひもなくふしん顔(かほ)して出て行。

影(かけ)見送(おく)りて表ゑ出長が手取て引いるゝ。跡は戸ざしにせんかたも涙先立計也。

長は覚ず声を上うつれは替(かは)る世の中や。二人(ふたり)そひねの（34オ）諸白髪(もろしらか)千年(ちとせ)と頼む我家を。けふはめいどの旅(たび)やどり手なれしふすま押入(おしいれ)も。名残をしげにあそこ爰。見世の先なる小板敷(いたしき)なでつさすつッいたゞひて。半右衛門様の折ふしに爰にすはつておわせしと。思ひ出すもなつかしや。不調法(てうほう)なる自(みつから)があしい所を影(かけ)に成リ。ひなたになつて明暮(あけくれ)に。姑(しうとめご)御へのお取なし。数かぎりなき御恩(こをん)をばしゝてもいかでわするべき。さらるゝ朝(あさ)もなますして手づから御膳(こぜん)すへたれば。物をもいわずほろりつと。泣(ない)ておはしをとられたる。其（34ウ）おもざしが見おさめとなり行身こそかなしやとむせかへ。るこそ。道理なれ。

友に　なくねの半平。尤なり。さりながら。そなたの事は数(かす)ならず国をはなれて十五年。誠の親(おや)より大切(せつ)

にかいほう有しかひもなく。先立我は不孝共物しらず共おぼされん御心底(しんてい)こそ恥(はづ)かしとしやくり。上てぞ
ゐたりける。よそにもさぞな。
袖の雨。ふろ敷包(しきつゝみ)手にさげて。嘉兵衛すた〳〵立帰り。しやくれどあかぬ表(おもて)口わるゝ計に打たゝく。
二人ははつと立上りうろつく内に（35オ）そとよりは。あけよ〳〵とわめく声。おゝ〳〵〳〵と計にて。
あなたこなたとはいまはり。やう〳〵と身を押込(おしこみ)に。長をしのばせ半平は。戸をあくれ共打明(あけ)ぬ。胸ふさ
がりてきよろ〳〵と。物をもいわず立まへは。
嘉兵衛もともに角(すみ)〴〵をのぞき廻(まは)りて押込を。あけンとするを立へだゝり。嘉兵衛りよぐわいなぜ明る。
ハテ珍(めづ)らしい御とがめ。此押込(おしこみ)は道具入。用が有てあけまする。イヤ〳〵用が有にもせよ。宿へもどつて
直様(すぐ)に。其上つゝんで手にさげしは。何方で（35ウ）取てきた。ム、ふろ敷包のうたがひなら。是御覧あ
れ赤毛氈(あかもふせん)。ハテ似合ぬ物をもつてゐる。イヤ様子は追(おつ)て申べし。夫婦の衆の留主の内。ひつのとろくへお

さめんと。明にかゝれば手を取て。近比小気な男かな。見付られたら半平が遠州みやげと云ておけ。先
下にいよ商売の返事が聞たい献立は。どふじや〳〵とまぎらかす。
詞のはずれ顔の色心は付どつかぬふり。押しづまりて畏り。明日のおふるまいお客の方から献立が。なぞ
に致して参りしをあらまし計覚（36オ）書。きこしめせとぞよみ上ける。先本汁に大寺やほとりにあそぶ
わらんべは。ちしや白魚としられたり。有情非情の乗合に棹なき舟の行ゑとは貝焼などの事ならん。木
の葉折敷其上に。から紅井の心中とは。あはれとぞ見る小もち鮒。そふにそはれぬ中〳〵にいつそ刃に指
身とは。つゝめど我が吸物にいく度きもをひやし物。思ひ直してたび給へ。折がかはればきも替り。又面
白献立の出来まい物にも候はず。定なき世は人のつね何をか恨くず餅（36ウ）が。後段の筈に候と。心に
余る異見状おしあて。ゝこそよみにける。
半平はさあらぬ顔。扨面白き献立や。しかし魚るいのふるまいをなぜ肴やは請とらぬ。されはそれにも咄

有。お出入致すうを売に。堀江弥兵衛と申せしは。きりやうはさのみよからねど恋路の手たれ上手者。ほれたお山が三百人。しのんであふが四五十人。中に取ても若松やなをと互にくさり合。女房にもつぞもたれんと。契りをかはす間〱に市とやら云木娘と。ちゑ〱くり事がかふ（37オ）じてきて。はや五月の腹に帯。かくされもせず親もしり。ついよび入て嫁びろめ祝義の樽をおくるやら。三国一をうたふやらそこらあたりがざゞめけば。なをがもへ立胸の火によねはうばいがたき付て。弥兵衛がゐてゐるさき〲ゑついてまはつて恨なき。くひつきかみ付しがみ付。さるかしぬるかしぬるかさるか。二ツ一ツとせたげられはらんだ女房はいなされず。なをはいよ〱かんにんせず。ぜひに及ばす心中し難波の野べの草の露。名はゑざうしに（37ウ）とゞまりぬ色と義利とにせまつては。日比のちゑも出ぬ物。そこがひざ共談合でこちとがやうな者にても。明していわゞどふぞ又死なさぬ首尾も有べきに。聞へぬ堀江の弥兵衛やと。むしりかけたる口占に。

地色中
半平きよつと行つまり物をもいわす押込(をしこみ)の。内にお長はわくせきと身をもだへたる胴(どう)ぶるい。ふすまにひゞきしき居(い)迄びり、〳〵となりわたれば。女はうちらで鼠なき。男はそとから猫のまね。うきが中にもおかしけれ。

地色中
嘉兵衛そろりと立あ（38オ）がり。みのづるしなどひかれては。もとが子になるせんさくとつか〳〵と立よるを。半平あはて付たをし。嘉兵衛おぬしも相応(さうおふ)の悪所遊びもする男。ひよつと出合の初恋を見あらはしてはけふがない。そこらはすいめきをとをせとをせ〳〵とわびにける。

地色中
嘉兵衛畳打たゝき。あんまりそれは曲かない。なぜ有様(やう)におつしやれぬ。私事は二三度も追出されたる身なれ共。伯父(おぢ)半右衛門に色々とわび事立て給はりし。お前の情で立てゐる。嘉兵衛に何のゐんりよが（38ウ）有いか程かくし給ふても。きかねどしれた御心てい同行衆のあつかいが。かなゐば重畳(ちやうてう)さもなくばさしちがゐんとの云合せ。見付た所はちがふまひせつなふもかなしうも。おぼしめさるゝ筈(はつ)なれ共しなんと迄はたんりよのさた。世に心中もおほけれど銀につまるかあふことのならぬせつぱの時にこそ。青物やといへはかるけれど勝手ともしい事はなし。上町辺も借屋をかり行かよふてもあい給へ。たとへ五貫目三貫目帳面あはぬ事あらば。嘉兵衛ひとり（39オ）が引負ておふたりの名は出すまい。命の替りに立たいと。思ひこんだる私がつまらぬ異見は仕らぬ。思案をかへて下さりませ。すがりついても取ついても。中〳〵しなせはしませぬと。誠を立る男なきやさしく。も又わりなけれ。

半平もや丶涙ぐみ。じひ成ル親の血筋とて。頼もしい気をもつものかな。其心共くみしらでかくせし所が面目ない。お長〳〵とよびかくれは。おもはゆけにも立出る目はなきはれて顔やせて。見かはす計打守り。ナウおいとし（39ウ）やいとしやと云より外は。なかりけり。

半平心に思ふやう死ぬるといわゞ此者が。付まとふてはなれまじ。すかして此ばをのがれんと世に嬉しげに打ゑみて。げにあふた子におしへられ。あさ瀬を渡ると云ごとく其方が異見にて。とやかく思ひくづおれしもあらふたやうに打はれた。借屋(かし)の事も内証(ないしやう)も万端(ばんたん)お主(ぬし)を頼み入。当分は先おや里(さと)ゑもどしておくがよい道理(たうり)。女房嘉兵衛に礼いやといつわりしらず目くばせに。お長も頓(やか)て合点(かてん)してお心（40オ）ざしの数〳〵は。どふも詞につくされず。夫婦が命のおや様と手を合すればこちらにも。若輩者(じやくはいもの)のいふ事をとく心有て嬉しやと誠とうその笑ひ声夢に夢見るごとくなり。

しすましたりと半平はお長と共に立上り。おばの方迄宵(よひ)の内おくりとどけて明朝は。かごて古郷(こきやう)へおくるべし。おやぢや母の帰られたらまだ庚申(かうしん)からもどらぬと。どぎ〳〵首尾(しゆび)を合せてといひ捨行(すてゆく)を引とゞめ。くだんのもふせんさし出し。おかごの内の敷物(しきもの)に進上致す（40ウ）と申義は。りよぐわいがましく候へ共。嘉兵衛が為の宝(たから)物。追(おい)出されたる其砌(みぎり) 友(とも)立共がゆびさして。畳(たゝみ)の上では死(し)ぬまいと影(かけ)事云が無念(むねん)さに。心なをしていんで見しよ。それ共ねがひかなわずし辻(つち)かいもとで死(し)ぬる共。もふせん敷てゐるならば畳の上も同前と。いぢを立たが身の幸(さいはい)。二度此家(や)ゑ立もどる嘉兵衛にあやかり給へとの。御祝義(しう)なりといひけれは。
地色中 お長はぢつとゑ顔(かほ)して何より ハル 嬉しいお心づけ。此もふせんで夫婦づれ夜るの花見に参(41オ)らんと。詞
のはづれきもつかぬさすが フシ わかげのふかくなり。
地色ウ 然る折ふし半右衛門夫婦同行衆と ハル 高咄(たかはなし)。はや門(かど)ちかく立帰れば加兵へさわかずお長をば。小びつのさきに
かゞませて半平共にしいたけの。フシ つぼみをゑつてゐたりけり。
詞 半右衛門戸口(とくち)に立やすらひ。太郎兵衛殿五右衛門殿七兵衛殿には取わけて。遠方(ゑんばう)といひ夜もふける。ひら
にお帰りあそばされい。ハレヤレいわれぬ御ゑんりよ。おひさをだきに三人が申合(あは)せて参るから。七兵衛
ひとりは帰られぬ。(41ウ)地 夜食(やしょく)はたべる引かけるたばこ一ふく御てい主(しゅ)の。おきあつかいには成まいと。
明(あく)るくゞりど我一とせり ヲクリ 合へ内に入にけり。
地色中 五右衛門先へ 色 すゝみ出。詞 早速(さつそく)ながら申ましよ。御夫婦(ごふう)共にようきかしやれ。是の嫁(よめ)ごがさられても手前に

そんも仕らす。よびもどされても此方に別に利徳もなけれ共。よく〱こんゐに思ふ故宵から今迄三人が。取付引付おとがいの。かいだるい程詫れ共。あへんども討れぬはあな取ての義か但又。大切な事よそ外で言づてわざな仕方じやと。ふくればし有てかと是迄付（42オ）ては来れ共。いふべき程は最前にそこをたゝいてしまふた故。急に才覚成ませぬ両人出やれと押すさる。

太郎兵衛ひげこに腰をかけ。夫婦合には別義なし不義放埒だにあらざれば。何をしおち何をひなんにいなすべき。姑ざりにきはまつたりたとへ五日が十日でも。お長の顔を見ぬ内は。太郎兵衛が朝夕を。此内でやしなはれんかたく〱。いかにとわびにける。

姑はつゝと出。アヽ太郎兵衛様よい推量。半右門殿は仏様。めうとの中はちん〱。いなしたは此母。お前の様なよい衆の嫁ごにしては似合ふが。此方づれの内（42ウ）にてまゝをもたかにやならぬ身で。はだには小袖はながみは。のべでなければ手にふれず。わしらはお寺の奉加さへ百目の銀は太義なに。五両とやらのくしをさし鳥甲(とりかぶと)程つと出して。太夫の道中する様にせばい所を八もんじ。そこらあたりの青物(あをもの)は。
ふみつぶされてあくたになる。其ついへでもつもつたら此身体(しんたい)はひづみましよ。青物屋のお内義になりと
フシ
ぎやうかとゑせ笑ふ。
地ウ　色　詞
七兵衛にじりより。こなたのやうに云立れは。詫言(わびこと)の手はあがれ共。とこを聞ても其様によい事計はそろ
わぬ物。身共が嫁(よめ)は随分(ずいぶん)と。世体はようするあるくにも。八文字(じ)は（43オ）ふまね共一文字(じ)をゑひかいで。
是も又きのどく。仁右衛門殿。そなたもちつと物いわしやれ。かゝがこはさにだまつてか。けつかう者じ
色　詞　地ウ　ハル
やとはやされて。あんまりじまんあそばすな。けつかうとはめうがのこと。とうなんとはところなり。せ
いなんとはせりの事。半平つれそふお長なら。子殿原(ことのばら)ではござらぬか。もしやみの夜のつれおのこ心中な
地ハル　色　詞
どをめされたら。取返(かへ)しはならぬぞやちと相談(さうだん)もして見給へ。いかにもおしやれは其通り。若(わか)いやつらの
事なればたんきを出すまい物でもなし。腹(はら)に物いひ有共聞。孫(まご)をあひして遊(あそ)ぶなら（43ウ）嫁(よめ)のにくさも

わすられん。ナウかゝ。なんと思やるとやわらを入てうらどへは。いか様こなたは如来様。二三十年身の油しぼり溜たる金銀が。たちまち水に成事をみながら嫁がかわゆくば。はてどふ成と被成ませ。したがわしにはひま下され。みぢかひ浮世にきにいらぬ顔見てしゆらをもやそより。あたまこそげて未来をば。助かる様に致そふとゆるむけしきはなかりけり。

半右衛門今はせんかたなく半平嘉兵衛爰へこい。様子は今聞通りの事。いかにお長にそひとふても母を坊主にやしられまい。かなわぬ事と思ひ切レ。扨又嘉兵衛（44オ）もよつくきけ。今では心持直し身を持そふにみゆる故。幸甥子のことなればかとくにせんと思ひ付。嫁を追出し半平も出て行やうにしかけると。世間の人にうたはれては半右衛門が名がよごれる。一夜も足はとめさゝれぬ今出て行と云渡す。嘉兵衛おどろくけしきもなく。お前の詞を請ず共此方から出てゆこと。思案極めておる故に恨には思はぬが。とうよくなわ姑御。嫁一人がにくいとて大勢にうきめをみせ。嘉兵衛は爰を出て行とあすからろとうに立ま

すぞや。お寺参りの行もどりこもをかぶつてつき（44ウ）まわらば。余りみめでも有まいが。それでも嫁

がさりたいかかんにんがならぬかと恨てもかこちても。心つれなく返事せず見むきもせねばせん方なく。

ずつと立て行所を半平は引とゞめ。ヤレうろたへ者どこへ行。お隙か出たでいにまする。先まて。イヽヤ。

しばし迚押合へし合引すへて。コレおやぢ様。早まり過た御了簡。母のいゝ分一々に尤至極と思ふ故。

ちよめは身共がさりました。誰に恨もないからは家出を致そふ様がない。それに此者追出せはけつくにお

名が出る事。同行衆にも今迄のちよがあつかい捨おいて。おやぢ様へ嘉兵衛をは。詫言頼存ると。聞よ

り三人うなづ（45オ）き合。ばゞはこちとが手に合ぬ。仁右衛門殿はけつかう者。嘉兵衛事を詫まする。

ハテどう成と御ゐ次第。あんまり早ふてほいないと笑ふてへこそは帰りけれ。

母はとかふの詞なく奥へはいれは半右門入らんとせしが立戻り。半平一ツのんでねや。酒は愁を払ふとは。

いしよにも書て有げなと。しほ〳〵として入にけり。

親の恵はふかけれと。御縁は今が限ぞと。お長もそつとはひ出て。友に見送る後影。嘉兵衛は何のきもつかずしめ明にするくゞりの戸。はやふ〳〵とまねけ共猶も名残はおし鳥の。なかじとすれどせきかねて。わつとさけべばもらさじと。打かぶせたる。毛氈の闇より。闇に　〽出て行（45ウ）

道行ほしづくし

われが恋路は糸なき三味よ。〳〵。なんのねもせでなきあかす。見れば思ひの雲の帯〳〵。扨も。みじか夜。心のせくにござんせ。いやとおしやろとこちやもふ。そふさんせ。ふたりが中に。名取川。おゝそれ。ふたりと〳〵名取川。ぬれて涙の血にそむる。田みのゝ島と。よみおきし。なにはの事もこれならん。よしあしのやはかはる世の。それも思へば夢現。うつぼを出てふたりづれ。色の外なるいろ毛氈ひしき物よとかたにかけ。つらき〽名残も。こ（46オ）よひぎり。

生れかはりて。さきの世は。迚とのごの古里のはま松〳〵風にさそはれて。はなれぬ中のむつごとを。あだになさじと思ひつめ。よるの玉ぼこ道急ぐ。ちしごくる〳〵じゆずの数ぼんなふぼだいと聞時はあの世計リのたのしみに。行んとすれど卯月やみ。涙にくれて道見へず思ひ。廻せ。ば〳〵はかなしやかはせし。事の浅からぬ。へだての雲のかさなりて。二世とちぎりし中をさく。月にみづまさ花に風。御堂の土手をあだしのゝ。其俤と草ふかき。蛍〳〵かすかに。とびつるゝ。身より思ひのあまればや。虫さへむねをや。こかすらん。夜も早いたく更(46ウ)ぬらん。わけとなき行時鳥。誠めいどの鳥ならばぢごくの有様かたれきこ。聞ク共いかで。かはらめや。こよひかぎりのうき命チ。とめてとまらぬ。三瀬川。

きしにつなぎしつな手こそ。ぐぜいの舟と観念し。なげく心はくもれ共くもらぬ。空のほし月夜。あらまほしやといふ星も。年に一夜のちぎりぞや。たとへば雲のうへとても。天の川をへだてなば。人のつら

さにかはらじな。糸かけぼしの。ほそ〴〵と。つきそひ星や。ねたむらん思ひぼしとは七夕の。ゆかりと
きけどま〻ならぬ。うきよに似たるたぐひぞや。
○地中 光もうすく艮にあれ〳〵見ゆるほし様は。（47オ） △詞 ヲ、かりのうつ〻の星仏。やどりぼしとはいつ迄
二人 も。いもせかはらぬ夫婦あい。此身の果はすばる星。○ウ ア、思ふまひ心からたとへならくにおつる共。
三下リサイモン 跡にかゑらじさりながら。女はいと〻罪ふかく。したがふ道もわすれ水。あはれ都のひぼのほし。結びめ
とけて濁江にうかれし事を思ふには。あまねきかどに立よるも　爰ぞ一ねん十ぐはんじ。ねびくはん
おんの。力星たすけ給へと諸共に。心をこめてねがひぼし乱れ。心の乱る〻共。りけんそくぜの誓にて。
心やす〳〵極楽に至りいたらんこなたへと。互にいさめす〻む身の勧進。所にぞ着キにける。（47ウ）
捨るに極めし。身の上も。そゞろに心ぼそげにて。三途の川は目の前の。麦吹風のさゞ浪や。空さびしく
も名乗てふ。四手のたをさを友がねに。さいたらばたけのかゞしかと。見るに付聞にふれあの世に。たぐ

ふぞあぢきなき。

半平お長にさしむかい。此勧進(くわんじん)所のお寺には談(だん)義のたゆる時もなふ。千万人の参詣(さんけい)に一遍(へん)づゝの御廻向(ゑかう)も。つゐに罪障(さいしやう)消滅(そくめつ)の法の縁こそ頼もしき。爰ぞさいごのば所とやがて用ゐを敷かくる。あけのしとねのもふせんや嘉兵衛がくれし其時は。ながく身上持かた（48オ）め町屋に住宅すへよとの。心には今引かへて。死出(しで)の門出の相むしろ未来(みらい)はすのうてな共。変(へん)じて浮むよすがぞと二人しづかに座をしめて。人間一生あざなへる縄(なは)のごとしと伝へしは。今日の身の上。八間やで出合し時互に書置あかしあい。あやふき命を夫婦共のがるゝ上は老さきも。諸しらが迄そひはてん。思へば愁(うれい)のふみではなく。結ぶの神の守り札。末頼もしやめでたやと祝ひしことも夢現。さむれはもとの書置よな。迚も角ても死神にひかるゝ縁は辻占の。時のぎゐんもなき物と身を観(くわん)じてぞいたりける。

お長（48ウ）はいとゞ打しほれ心中と云ふた文字(もし)は。流(ながれ)の女に限(かぎ)りしときのふはよそに思ひしに。けふは夫婦が身の上にあきもあかれもせぬ中を。よしないさはりにへだてられ。あだにくち行ぜひなさとひれふし。てこそなきにける。

半平涙にくれながら。ア、おろかなるくやみ事。とかく二人がくさり合。きられぬ縁を恨むがよい。女房さるに七ツの法。さらぬに三つの教有。中にも親のきにいらぬ女房にそふは不孝也。又いに所なき妻をさるは夫の義にあらず。とくにいとまをやつたらば孝行の道は立。しかしそなたの親里は。やしなふふぜいもないひん家。（49オ）すりやいに所ない同前。さるにさられぬおしへなり。此二道にさしつまりかく成くだる有様は。もとよりかくごと詞にはいへ共もるゝ露涙。いたわしや十蔵殿。つねさへ武士のつきつめた。きしつながらも半平は。武士を捨よと御異見は。我行末を安穏に。あらせん為の教をば今やみ〳〵と死したらば。さぞやおくやみ嘆の程。思ひやるさへ。勿体なや。

養親の半右門殿。おきのよはい生付。此わけを聞給はゞ老後のうれい持病のたね。かれといひ是といひ。一方ならぬ不孝のつみ。空おそろしき身の上とくどき。立れはお長も又。ほにあらはれてさ（49ウ）けび入。ア、我とても道ならぬ。嘆をかくるは同じ事。老たる母の手一ツに。そだてあげられ人となり丁ど今年が廿四の。年重なれどけふが日迄。是ぞと思ふ孝もなく。終には刃に身果し。愁を見する計かは。入まへの程世渡る業。老のゆ水は誰取て御心をやすむべき。不孝共つたなし共。我からわかぬ身の上を。ゆるしてたべや母様と。ほとりもしらず手を合せわつと。計に。なきまどふ。

半平は顔を上。ハアいつ迄云ても同じ事。夜明ぬ先にさいごをは心しづかにとぐへしと。西に向ひて手を合せ。利剣即是みだがう。南む阿（50オ）みだ仏と廻向する。お長はしづむ涙さへ落てかはかぬ小硯を。懐より取出し。かうなろかとはしらずして西の宮参りして。すまや明石の名所をも。印おかんともとめしが。今引替て書置の。御用ゐもやとさし出せは。ナウよい合点さりながら。我一代の書置は懐中の状箱。心にも文言にもしする時節に二ツはなし。そちこそ早ふ書置しや。イヤわしとても先立てさられた時の書置が。おば様の手に有からは。是ぞ末期(まつご)のとゞめ筆。あだの思ひの数〳〵は迚もに書はつくされず。しかし辞世(じせい)の言のはを残(のこ)し給へとすゝむれは。半平うなづき筆を取。げに（50ウ）世の常(つね)にしゝたらば。野辺(のべ)のおくりの引導(ゐんだう)に一句一げもうくべきに。此まゝ行んはかなさよそなたも一首(しゆ)口ずさみ。自(みつから)是を引(ゐん)導(だう)共経帷子(きやうかたひら)のぼんげ共。廻向の種(たね)と案じつゝ硯(すゝり)引よせ書付ル。文字(もじ)もちら〳〵星(ほし)月夜。よみつゞけたる其歌に。はる〳〵と浜松風にもまれきて。涙にしづむざゞんざの声。お長同じくかく計古(いにし)へを。捨(すて)ばや義利も思ふまじ。朽(くち)てもきへぬ名こそおしけれと。両首(しゆ)一所に巻(まき)おさめ。半平は懐中(くわいちう)より件(くだん)の状箱取出し。辞世(じせい)に相そへ前に居(すへ)。思ひ入たる体(てい)成しが。胸押(むねをし)くつろげ脇指(わきざし)を。すらりとぬいて。腹に突当(つきあて)（51オ）引廻さんとする所を。お長は取付声を上。こは情なの御事や。女は心おろかにてかくごしてさへうろたゆるに。ひとり先立給ふのは。扨は我身を捨(すつ)るのか。恨(うら)めしやどうよくともだへふるひてなげきける。

地色中 半平ちつ共わるひれず。色 女心の浅はかさよ。詞 是程の手でしなんとはおろか也〱。是は様子有ての事か、へ帯を二ツに切其一筋にて此疵を。地ハル いそいでまけと聞よりはやあはて丶ほどくか丶へ帯。心は何と白ぢりめん用ゐの剃刀取出し。せきくるふ手もふるいながら。やう〱中より押切て夫の肌を引廻し。しつかとしめてうろ〱と顔を詠めて*涙ぐむ。

詞 半平詞おだやかに。そな（51ウ）たがさいごの顔も見ず。何しに先立行べきぞ。此脇指は某が此地へ養子に来る砌。主君よりの拝領。武士の刀は忠義を胸とし。町人は又礼義にさす。大切の一腰を武道にも用ひず。礼義にもか丶わらず。けがらはしき両人がさいごに計つかはん事。勿体なし冥加なし。武士のまねして引廻すは主君ゑの云訳。山脇氏に立もとれば親十蔵が封印も。やぶつてやぶらぬ道理也。是からそちとしぬるのが。地中 青物屋の半平ぞと。はをくひしめて 中 息をつぎ。是お長其半分のか丶へ帯。そなたが腹にしつかとしめ。四月になるかならぬ子に。せめて末期の祝ひおさめ。世に有ならば来月は。地ハル 帯の祝ひよお姥よ

（52オ）と。さもいさましく有べきに。あすをもまたぬ今の身は。五月共産(うみ)月共。つゞめて名残をおしむぞと。そゞろ涙にくれにける。

お長は帯を取上て。しやくり上〳〵前後(ぜんご)涙に。しづみしが。生れぬ先に行末をかみかたかれといはた帯。

それは世に有人の事是はそれとは引替(かへ)て永(なが)き別(わか)れの親子の縁(えん)。かく成ル身とはしらずして嬉しや子をはうんだらば。二人が中の楽(たのしみ)に。明暮だいつすかしつの。愛(あい)らしい事見る度に浮(うき)が中をも打忘(わすれ)。夫婦は猶もしたしみの媒(なかだち)と成一ツには。世に子をもてば世帯(たい)じみ。なり形(かたち)をもやつすとや。然は我が思はずのだても自然(しぜん)とやむであろ。姑(しうとめ)ごにもきにゐらうあら嬉しやな産(うぶ)（52ウ）宮様。平産(さん)させて給はれと。願(ねか)ひしことは徒(いたづら)に。身持ながらにきへて行。名残は我身一にて。別(わか)れは二ツ人間の。種(たね)を立のも同じこと。何ンのとがなき腹な子を。友にしなする不便さよ。ゆるしてくれよと詞さへ。なく〳〵帯を取上て。肌(はだ)に廻し引しめて。顔見ぬ母が形見(かた)そとかつばと。ふしてなきにける。

早引渡(わた)す山かつら寺のじんじやうつげ渡(わた)れば。いざやさいごの時こそと座を打払(はら)ひ身がまへす。お長は覚(かく)悟(ご)の面(おも)ざしも名残の花のあてやかに。露持余(あま)る風情にて手を合せてぞ座しにける。

半平につこと打笑ひ。ヲヽ出かしたりいさぎよし。未来(みらい)は一所ぞ迷(まよ)ふまじ。今ぞ限(かぎ)りと脇指(わきざし)を。取直せしがさすが又。永(なが)き（53オ）わかれの顔ばせに。心もさはぎうでたゆく。さし付てはためらいつかんとしては絶兼(たへかね)て。しばし時刻(ぢこく)を。うつせしが。なむ三宝おくれしと。きを取直(なを)し一心に。なむあみだ仏と刃(やいば)のさき。のんどにあつれは身をもだへ。手足をのべてくるしげな。中にも夫(と)を打守り。〳〵たる一念の。りんゑの心ぞ〵はてしなき。

イデ追つかんと半平も主のゆかりの一尺五寸。おしいたゞき既(すて)にかふよと見へし所へ。おゝい〳〵と追手のもの共寄(より)あつまり。半平見付すがり付刃物もぎ取。こなたがしんでは恥(はぢ)の恥。なからへるが孝行(かうく)と。むりに二人を伴(ともな)ひ帰る朝露にめぐむや。竹の若みどり根ざしを。爰に記(しるし)ける（53ウ）

右俳優曲調者以通俗為要
故随物閏字正字俗字各為
用捨而文句明也且予自加
墨譜誠為正本云爾
豊竹越前少掾

大坂心斎橋南四町目西側　正本屋　九左衛門

傾城買指南

傾城買指南

唐土の傾城種がむろの津へ飛ンで来て。匂ひをこせよむろ咲の梅が香。ワイ〳〵ノワイトセイ。粧ひかざる。色里は恋と。情の組格子揚屋の。座敷取はらひ見通しの正面に。傾城買指南所と額を打。夜は行燈に灯かへ并に。女郎手管の枕。座持伝授の盃と。物々敷書キならべ。中央にぬり見台も花々敷。右の方をば粋の座と。折目正敷麻上ミ下。色問答にいひ勝ツて看板引そといふも有。こちは弟（1オ）子入伝授受。粋に成ラふといふも有リ。せんじや万別ツ色々に。袴の糊もおと高く。暫しは鳴も止ざりけり。

地中 左ㇼは色の座並(ざなみ)よく。思ひ〳〵のうちかけも里に名高き松の君。手管(くだ)伝授の底叩(そこた)かせ穴を見出して坊主にせんと。色めき立て詰懸る。

地色ウ 講談(かうだん)の頭取は其名も高く揚屋町。松屋八兵衛もいつよりか十八公の心より。八ﾁ公〳〵と呼立られ。返事につれるあさ上ﾐ下。にこやかに立出て。高ふは御ざりますれ共。名代ィと仕ㇼ是よりづいとお礼を申上まする。此度師匠(しせう)色道軒。傾城買指南(しなん)所と申看板(かんばん)を出しましたる（1ウ）所に。御ひいきと御ざりましてお暦々(れき〳〵)様早朝よりお出下されまする段。師匠義は申に及ばす。高弟(かうてい)の私迄何程か有ㇼ難ふ存ｼ奉りまする。彌以御しんびやうに御聴聞(ちやうもん)願ヒ上ますと。露を払(はら)ひし口上に立出る色道軒。宝禄頭巾(ほうろくづきん)伊達(だて)紙子当世(とうせい)の気に相口も。適(さすが)諸分を知ㇼ顔に大やうに押なをり。

詞 コレハ〳〵どなたにもさぞお待遠に御ざりましよ。早ふ参つてとは存ｽれ共道々も引ｷ釣(つり)引張(ぱり)。ナニガ夕べはかういふ張合(はり)ィでの。イヤ口舌(くぜつ)での袖留のアノもめのしきぞめのと。イヤハヤモ粋(すい)に成程大体(たいてい)じやごんせぬ。是を思へば傾城買と（2オ）樋竹は青ひ中が賞観でごんす。扨拙者も腹からの粋と申では御ざりませぬ。親の譲の身上を傾城に打込ミ。日本国の色里を経廻つた徳によつて。女郎買の元祖萬屋助六居士が揚巻へ通ひました紙子編笠。中興開山ン藤屋伊左衛門へゆづられしを。拙者が又受継で三代連綿と。系図正敷粋の印可を赦されましたが。段々と寄ル年成レば傾城買粋と申者はさかりの短ひ物でごんす。丁ど信濃の者に飯たかす様な物で焼あんばい覚へると国へ帰ラねばならぬ。夫レ故かやうな看板も出し口広ひ義もお咄し申。問は当座の恥問ざるは末代の恥と申せば。（2ウ）合点の行ぬ所へは不審を打ッて問答あれ。

夫レが則禅宗のごうこもどうぜん。色道発明の胸例と。いふも一曲有リ顔也。

色好ミの若カ盛一チ様に詞を揃へ。初心ンから段々に女郎のしこなし様。粋な客と用ひられ。もてる様の魂胆御伝授が請ましたい。ヲ、夫レはいと安ひ事でごんす。ちつと稽古さんすりや。捨て置ィても成リよい物は粋とかぼちやでごんす。先ッ傾城のひとつ買もなさるゝお方は男風俗の拵ェが第一。朝夕の摺磨は米糠もふすまも止にして。白小角豆を粉に引ヵせ夫レで磨が上々吉。月代は毎日剃。鬢厚からず薄からず中鬢に髪筋を通し。（3オ）羽織の寸ンも短からず長ヵからず。黒小袖にお納戸茶袖口は太ぐゝり。歩行すがたをこふのつしりと位取。座敷付キをうは付ず。上品に是こふ直り。きせるのもちやう。盃の取廻し。諸事こせつかぬを至りと申ス。無理酒無理じいあばれ喰粋の上には赦しも有レど。初心ンの間はかつてせぬ事でごんす。三味も鼓も成ルならは少しづゝがゐいでこんす。兎角浮世はうしの小車の。〳〵めぐるや。報なるらん。とこう弾も諷ふも短ひが粋でゐす。口舌ひぞりも遊びのもやう折にふれて懸退有。別ッして傾城買の極意といふは。始末勘略にしくはなし。是が秘密の（3ウ）御伝授ぞと。放気まじりのおしへ方。粋にならぬはなかりけり。

あまたの中にも凸凹とて。思案顔にてずつと摺より。イヤ申先生。只今のおつしやり分いさゝか以テ其意得す。傾城狂ひといふ物が始末や勘略の気が付ィて成ましよかいの。それはモせつかく女郎を買に往て。

くるは五丁町で状文封る食粒も大ｷな事と気をへらすも同然。コリヤ少ｯと出損ひでござりましよ。

ハテサテ麁相でごんせぬ。傾城買の内しまり。或はぬか味噌汁などゝは始末勘略の名言。我等も若ｶひ時分には二上り引立られ。　（サハキ歌　ハル）呑やうたへや一寸先ｷは闇の夜。ワイ〳〵ノワイキウ〳〵ノキヱ。（詞）呑だ（4オ）事も有たでゐす。其上やくたいもない金銀を湯水の様にまきちらし。新酒の酔の一ﾄ花客。色にもならず粋にもならず果は其身が天竺浪人。尻のとげぬ浮気客は粋の部へ入ﾚませぬ。殊に皆女郎はぼんのふ休と心へ給ふ中々そういふ事ではないでごんす。なぜとおつしやれ。ハテ初会の座付ｷは祝言のまなひ。去ﾙによつて極粋の遊びと申ｽは。先ｯ相方を手前の連添女房のごとく万ｯの事に情をかけ。始末勘略を第一につかふまじき金は遣はず。遣ふべき事には物の見事に。くはつ〳〵と遣ふによつて分知ﾘのきつすいと持ﾃはやす。又（4ウ）始末勘略するがよい迚。相方が心よふもてなせば。紋日無心の筋かと邪推を廻し。追付長崎へ年頭に登るのイヤ。親父がどふでの母がかふでのと。にげ支度の問ﾊず語りかやうな事は粋の上にない事てごんす。我等も昔は傾城のあらを見出して〳〵と思ひましたが。今粋に成ッては中々あら抔に目はかけず。あなたより正味の饗応に預かる故粋が身を喰とは申。爰らの所が肝心かんもん。勘ン弁して粋の悟を開カれよと。払子にかはる扇振上。てう〳〵と打れて胸の凸凹もあやまり。入ッて閉口す。

並居る中よりみやこぢは。（5オ）しとやかに進み出。客様方への御伝授感にたへて聞事て御ざりした。わつちらも伝授が受ケたい。相伝してと差シ向ふ。お名も御器量も隠レない御女郎。しかしお若ひから御稽古なされたがよい。先ッ傾城はつゝしみがかんもん。其つゝしみと申スは第一短ン気間夫狂ひ。いやな客クをもふり付ケず。しんぼうするを公界の秘事。伝授の奥義と。ナ申也。

ホ、、、コリヤおかしひ。好ぬ客をふり付るは女郎の張。間夫は色恋の道。うそにも惚たと口説て。わけを立ぬは恋しらず。情の道にはかけやんす。夫レに何ぞや分知リの伝授のと。（5ウ）大そうらしひ看板を掛ちらし。本にみそとやらでは有まいか。ヲ、笑止やとやり込ムれば。サ、そふおつしやるが則短気。イヤ名立がましひ短気〳〵と。しみ〳〵わつちやすきやせないによ。それ〳〵。そふぴんとなさるゝが短気の上ハ盛礫(つぶてもんだう)問答。元来短気(たんき)は疳積(かんしやく)のわざ積(しやく)のない女中は希(まれ)にごんす。夫レ故京大坂でも気の短ひ事を疳積(かんしやく)とは申。いか様禿(かぶろ)立から様々の気がね積の治(おさま)る隙はなく。酒で病を押(おし)て見ても。むか〳〵と腹が立そばな物を投(なげ)打したり。イヤいきぢじやの張合のと。口舌ひぞ（6オ）りに短気が手伝(つだ)ひ。心がもや〳〵として来て。一チ日逢(あは)ねば百日にかつた萱(かや)じやの紙帳じやの。イヤ顔が立ぬの名が立ぬのと。短気(たんき)に疳積(かんしやく)がつゝはり。大事の命を心中して一チも取ず二もとらず切落の札を持チ居て急用に呼出るゝ様な物でごんす。誠勤(つとめ)を情出(せい)し。情の道を弁(わきま)への間夫狂ひは傾城色道の奥義(おうぎ)。此一段は此道の神秘(じんぴ)。面ン々御心に覚へ有ふ。何と御合点参りしかと。

地ハル　フシ

請つ開イつあしらへば。

地色　ハル　色　文弥地ハル　詞

松八はゑつぼに入。ハヽア問も問たり答(こたへ)も答たり。きびしい物じや〳〵。コレ都路様。のぼつた顔でぴんと見しらせ。先生をせか（6ウ）せて秘密(ひみつ)のそこをたゝかすとは。夫レがすぐに問イ様の手管(てくだ)。きつい所を案じたり〳〵。サア目出たふ一つ打やんしよ。シヤン〳〵〳〵。扨是からは又此はなが同職(どうしょく)。座持末社(ざもちまっしゃ)の
伝授講談(かうだん)。息次(いきつぎ)なしに申。頼み上ます。成程〳〵。惣じてたいこと申は大尽の心に叶ふが第一。何八公。
初心ンな方を手引の為。相手(あいて)を取ッて仕方で伝授仕らん。高弟の不肖(しやう)にたいこ持の因縁(ゐんゑん)から文作で承ろ。ハ
ツト答(こた)へて松八は。東西〳〵。たいこ持の因縁由来(ゐんゑんゆらい)。昔は能(のう)の太鼓を台(たい)にはすへず。後見に持タせて置ィて
うつたる故。太鼓の後見(こうけん)いつとなく。たい（7オ）こ持とは名付たり。
扨又。能かはやしのある時は。太鼓をこう持てあてがへば。打人(うちて)は向ふへしやにかまへ。客を尋ネて中の
丁まはる。ヤハつく〳〵〳〵〳〵つつてん〳〵。てんとたまらぬ百性の。いかひ田わけの始りは此時。よ
りと語りけり。
ヲ、出来た〳〵。ほうびに一つ呑(のみ)くされ。ハイ是は有難(がた)し。我等に似合し此小盃は。大坂盃かあの蒔絵(まきゑ)の
きやしや盃は京盃か。名所の月の武蔵野(むさし)は是やこなたの大盃。こぼれぬ様にコリヤ粋め。一ッ盃つゐでく

れなさりし。ヲツト心へたんぽの川崎神奈川ほどがや走ッてとつかは行ば。棹の（7ウ）先キに鈴の音して
お葛籠馬の。おふとん張迄はんなやかにきんらん純子繻子緋繻子島じゆすしゆちん。綾の鉢巻びろどの脚
半。小室ぶしの声聞ば石原やくはん。なまずひやうたん挑燈に釣鐘馬の耳に風。藪からほつとうたひ出
す。小室フシ 上 扨も。中ウ 見事な。ハル 中 お葛籠馬よと。ハヤロ うつむき見ればいつの間にやら灸を摺むく。三里ばかりか藤沢平
塚大磯がしや。小磯の宿を七つ起して早天早々相州小田原とうちん香。花のお江戸の花ういらう。あのは
なを見て心をお和らぎやつといふ産子這子に至る迄此ういらうの御評判（8オ）御存ないとは云ハれまい。
まい〳〵つぶり角出せ棒出せぼう。〳〵まゆにはうす杵摺鉢ばち〳〵〳〵。合 とろ〳〵〳〵。合 ぐは
ら〳〵〳〵とはめをはづして今日お出の方々様へ売ねばならぬ上ねばならぬと息情引ぱり。舌も廻らぬ
烏が鵜の真似長ひは恐れ短ふ留るがたいこのこんたん。フシ ホヽ誤ッて申スとしやべりける。
詞 何ンとお聞なされたか。八公といふては今の世の座持。あの形を呑ミ込だがよごんす。地ハル まだ此うへにフシ といふ

所へ。

遙に遠き末ッ座より中を押分かき分。つか〳〵とんと膝摺よせ。顔振上てヤア。お前は椀久様。夢ではないかなつかしやと。すが（8ウ）り付ば顔そむけ。　つらゐ勤に日をくらしやるか顔の。やつれが気にか丶るといひたいが儕が様なやつにそふいふ気はみぢんもない。端歌計リにも百貫目入レてならふたに。今は漸〳〵紙子一くはん。襟数のうすひ男は思ひ懸のない筈かい。昔の智職のお詞にも。傾城に誠有ル世には。必玉子が四角に成ルと説れしは金ン言〳〵。　もとはうは気で愛染川の。深ふ成程。あはれはせいで。

アイ其越にこされぬ人目の関を越シて来たふたりが中。　久しぶりにて。松山に。　何が不足でひぞらんす。つれないお人と計リにて。恋のそら成曇　声。

松八は気ノ毒（9オ）顔。サア大事に成ッて来た。音トに聞へし椀久松山。粋と〳〵の詰ひらき。口舌のしこなし請こたへ見るも聞クも後学事。物影から見物せんと。みやこぢ諸共囁　合襖の〳〵陰へ入にけり。

跡は二人の。さし向ひ。松山漸顔を上。ア、聞へぬぞへ椀久様。お前の事を。明ヶ暮(くれ)に思ひ。つゞけし悲しさは。そもや船にも車にもほんに。つまる、事かいな。ぞふいふ気とは。白糸をなま中そめて。むすぼれて。もつれて。よれて引しめて。末は千歳(ちとせ)の松山に浪は。こす共かはらじと。かはせし事も飛鳥(あすか)川。誠はないの。イヤうは気のと。ヨウそんな顔して。云ハしやんした。恨(うら)めしや。むご（9ウ）ひつれない数々は口に。余りて目にもろき。涙がまことの。　手利也。

ア、コレ〳〵泣まい〳〵。高き物傾城の涙と独参湯(どくじんたう)。ノフ恐ろしや〳〵。こりた〳〵と立て行。マア〳〵下タに居さしやんせ。兼々二人が云ィかはした誠の色の極意(ごくゐ)といふは。口でせず文でせず。手にも取ラれず目に見へず心の底(そこ)でする恋の。割符(わりふ)が合か合ぬかは。お前の心に覚が有ふ。

ヤイ見台(けんだい)よあれ聞ィたか。手にも取ラれず目に見へず。心の底(そこ)で恋するとは淡雪豆腐(あはゆきどうふ)に釘(くぎ)打ッ同然。道理で釈迦(しやか)といふ男が四も五も喰(くは)ぬ発明(はつめい)者。傾城は第六天の魔王(まわう)じやぞ油断(ゆだん)してけちを付ヶられるな。顔に白粉(はくふん)

（10オ）金箔を塗。櫛笄に後藤のほり物をほらせ。魔道の門戸をおつひらゐて引摺こむといはれた。ナフこはい事〳〵。イヤ〳〵それはお前のけんしきちがひ。仏はけんまい女色とやら。法を売坊様より傾城の身の憂ふしは。普く人の思ひを休め。菩薩の行にも勝サるぞや。

ヤアコリヤ面白ふやりかけたは。そんなら客を懸るといふ手管は何の菩薩の行。ヲ、それこそは方便説。其気に応じて法を説。観音薩垂の行成ラずや。出来た〳〵心の外を口にいふ妄舌は扨いかに。されば初心ンを導てなじめばみけん真実の。しんぼうのまこと有リ。ヤきつし〳〵。色といふは。迷ひの種。恋といふは。菩提のたね。楽しみ有レば悲しみ有。生は死の（10ウ）もと。愛別離苦釈迦を産しまやぶにん無常の風はよけられず。ヲ、だるまを産だお袋も冥途の迎ひはいやおうなし。やしゆたら女を初めとして娥皇女英がこがれ死。妲己ほうじも煙と成。漢の李夫人王昭君。楊貴妃せいしぐしの君。美人の誉れ三国に名のみ残りて露ときへ。和国に花の咲耶姫たまより豊玉衣通姫。竹の婦人や宝の君。島の千歳和歌の前一人

も此世にとゞまらず。小野ゝ小町もせりつみも。紫式部も死は遁レず和泉式部も小式部も。誰レかは娑婆
に残るべき。死で生れて生れて死でたまきのばんの廻るに似たり。でんくはう石火の如くぞや。
ホツヲヽ、面白し〳〵。狂言きぎよのたはむれに。（11オ）不流文字の奥義有。ヲヽ然らば迷は晴レたるか
と姿詞も。荒かに。ヤア〳〵玄翁法師。我は是其昔後五百歳の仏法を守らんと。東方薬師釈尊の。一仏ッ
へ堅誓約せし。白髪の明神也。遇ぼだいに入ながら愛着の雲晴間なく。輪廻の浪の動きをなす。其執
念を吹払イ。悟の道に誘引と夢中に示現なしつるぞ。汝が肌身にそへ持チし翁の面テも我顔の。白髭長カく
日ノ本に禅法るふの名イ僧と。末代誉れを残すべしと宣ふ御声朗かに。並居る男女は悉く雲間に響楽器と
変じ。音楽妙々然として眠の夢は〳〵覚にけり。
玄翁感涙肝にめいじ。筐の面を押戴き。かゝるふしきを見るからは。末世にきどくを残さんと。法の旅路
は仏の道。神の。道引給ふにや那須野ゝ。原へと〳〵廻行（11ウ）

右板本書写之上令改正所
文句節附等依無誤予印判
加者也
豊竹肥前掾

大坂心斎橋南へ四丁目　西沢九左衛門板
正本所
江戸大伝馬三丁目　鱗形屋孫兵衛板

解題——青梅撰食盛 傾城買指南

青梅撰食盛

◎底本　天理大学附属天理図書館（911.7/613）

◎体裁　半紙本　一冊

◎表紙　原表紙

◎題簽　原題箋「おちやう／半平　青梅撰食盛　豊竹越前少掾直伝／正本屋九左衛門版」

◎行・丁数　七行・五三丁（実丁）

◎丁付　「一」〜「四十五」（版心下部）、青道一、青道二（ノド）、「四十九」〜「五十四」（版心下部）
道行を除く版心上部に「二」。

◎内題　青梅撰食盛（あをむめつわりざかり）

◎年記　無記載

◎作者　紀海音（内題下）改作者名は無記載

◎奥書　有

◎板元　（大坂）正本屋九左衛門

◎番付　無

◎絵尽　無

◎初演　寛保元年五月二十一日大坂豊竹座
『義太夫年表　近世篇』第一巻一三〇頁参照

◎主要登場人物

半平（もと山脇伴六）　お長
山脇十蔵　三笠屋与次兵衛
戸田卜斎　お長おば
沼津杢之進　嘉兵衛
青物屋半右衛門　利助
半右衛門妻

◎梗概

［第一］

（山脇十蔵屋敷弓場）13頁2行目〜21頁3行目

遠州浜松の山脇十蔵の屋敷では、弓場で師範の戸田卜斎が門弟沼津杢之進など三名とともに稽古に励んでいる。そこに十蔵が、年に一度の人数改めのため帰郷した大坂の青物屋に養子に出した息子半平（元伴六）を連れて戻る。

卜斎はかつての半平の弓の腕を褒め、志を捨てなければ五年、十年は腕も下がらないはずと、門弟の杢之進との競射をするように言う。半平は辞退するが、父十蔵に促され、杢之進との勝負に臨む決意をするが、杢之進は取り合わない。半平はかつて杢之進との弓の勝負では打ち負かしたと挑発するが、李之進は武士の伴六とのことであり、町人の半平との勝負はしないと卑しめる。そこで、卜斎が弓ではなく柔術の勝負を促すと、あっさりと李之進は半平に投げられてしまう。李之進は怒り、半平をさらに青物屋とののしり、命を取ろうとするが、卜斎と十蔵がその場を収める。

（半平書置き）21頁4行目～27頁10行目

半平が李之進に辱められたことにより、武士の親と町人の親のどちらに孝を立てるべきかと悩んだ末、やはり堪忍できずに李之進を討ち果たそうと養父半右衛門に書置きを認めている。そこに、実父の十蔵が白装束で槍を手に現れる。十蔵は、李之進が娘を妻に望んだが、受け付けなかった腹いせに半平を恥ずかしめたのだと言い、代わりに自分が李之進を討ち果たすと勇む。半平は、町人となった今、駆け落ちや身上を失えば恥であるが、喧嘩を穏便に済ませたとあれば、養父も喜ぶだろうと父十蔵を説得する。

実は十蔵は、短気な半平の気質を心得ていて、李之進への恨みを果たそうとするのを留めようとしたのであった。十蔵は半平の書置きを取り上げ、実父と養父ではなく、半平を生かそうとした主君への恩義を忘れたのかと諭し、半平が町人になった経緯を思い起させる。十二歳で主君の小姓となって目をかけられていたが、長崎からの相人に刃の難があると言われる。主君は、半平に短気の気質もあり、武士のままではつまらない口論で討ち果たされることもあろうからと脇指を下賜して町人にしたという配慮があったのである。十蔵は状箱の封印をし、堪忍するように半平を諭す。半平は主君への恩、実父、養父への恩を胸に丑三つの鐘の音とともに大坂へ戻っていく。

［第二］

（大坂八軒家の船着き場）28頁2行目～38頁9行目

泊り宿の亭主、三笠屋与次兵衛は、到着した船の客を改め、島原を駆け落ちした遊女の詮議をしている。抱え帯の派手姿のお長が疑われて連れていかれるところに、次の舟で半平が到着し、お長とその伯母に気づき、女房であると言い立て、与次兵衛を納得させる。

半平がなぜ京に行っていたのかを尋ねると伯母は怒って引き離そうとするが、お長が半平の留守に姑去りにあい、実家に戻っていたが、あまりに貧しく、伯母が立ち寄ったのを幸いに再び大坂に下って来たと話す。お長は半平を信じているが、母親やこの伯母は、半平も納得の上の離縁だろうというので、言い訳をしてほしいと頼む。

半平はこのように偶然に巡り合うのも、縁が切れない証拠だとなだめる。しかし、伯母は養母直筆の去り状は、本人の同意なくては書けぬもの、お長の実家は貧しいが、女房が可愛ければ、味方になるべきと詰め寄る。その時、半平の懐から状箱が落ちたのを伯母が取り上げ、父半右衛門と談合の証拠と封を切ろうとするが、半平に留められる。

それを見て、お長も半平がだましたのだと思い込み、半平の肩に食い付き、身もだえして恨み立てると、その拍子に今度はお長の懐から文が落ちた。半平は、養母が長の不義を知って離縁したのだと思い、その証拠として読み上げる。しかし、それは姑去りにあい、身のよりどころがなくなったお長の遺書であった。

お長は京の母に別れを告げ、川に身を投じるつもりであったが、伯母と出会い、できずにいると言う。半平は、状箱には、国元で口論した相手を討ち果たすつもりで書置きをしたものの、親十蔵の意見で封印して納めているのだと打ち明ける。

半平は、お長の書置きを見て自害を留めたのは、行く末目出度い吉左右と、町衆や同行衆に調停を頼んで、五日の内に呼び迎えると約束し、お長を伯母に託す。

[第三]

(新うつぼ青物屋店) 39頁2行目~45頁2行目

庚申の宵、半右衛門夫婦は同行の集会に出かけようとする。妻は半平が庚申参りと称して、石町の伯母に預けたお長と会っているのだと陰口を言い、戻っても戸を開けぬよう半右衛門の甥嘉兵衛と手代の利助に伝え、出かけていく。

今宵は五日めの約束の日で、お長を連れて戻った半平が、内の様子をうかがっていると、嘉兵衛と手代の利助が、お長の姑去りは、七十両の持参金付きの浪人の娘を半平の嫁に迎えるためと噂する。お長はそれを聞いて、立ち退こうとするが、半平は引き留める。

半平は、利助を庚申参りに、嘉兵衛を平野屋へ打ち合わせに店から出し、お長を中に引き入れる。お長は半右衛門が姑からかばってくれたことを思い出す。半平も養子になって十五年、大切にしてもらったにも関わらず、先立つ不孝を恥ずかしく思う。

(嘉兵衛の助言) 45頁3行目~51頁3行目

そこに嘉兵衛が立ち戻ったので、半平はお長を押し隠す。嘉兵衛は、半平とお長が心中を決心していることを察し、自分が追い出されては、半右衛門に詫びを入れてくれた半平を何とか思い留まらせようと、上町あたりの借家を借りて通えばいいではないかと諭す。半平夫婦は嘉兵衛の申し入れを受け入れ、明朝、お長を駕籠で京へ送ることにする。嘉兵衛は駕籠の敷物として赤毛氈をお長に渡す。

（半右衛門夫婦の帰宅）51頁4行目～56頁3行目

半右衛門夫婦が同行衆と戻る。同行衆三人が代わる代わるお長への姑去りについて意見をするが、妻は嫁のお長が、華美で傾城のような様子であることを言い立てる。半右衛門は、孫を愛すれば、嫁の憎さも忘れられるだろうと妻を諭すが、妻は頭を剃って尼になると言い張る。

半右衛門は妻を尼にするわけにもいかず、嫁を追い出し、半平も出したと言われるから、嘉兵衛にも出ていくように言う。嘉兵衛は、自分は追い出されることに恨みはないが、ここを出ると鷹被りになり、寺参りの折にはつきまとうが、それでもお長を追い出すのかと脅すが状況は変わらない。

半平は、お長は自分が離縁するので、嘉兵衛も出ていくには及ばないと言うと、同行衆も納得して帰っていく。

半右衛門は半平に一杯酒を飲んで寝るよう声をかける。半平とお長は半右衛門を見送り、嘉兵衛の気づかぬうちに、潜戸から闇に出ていく。

（道行ほし尽くし）56頁5行目～58頁8行目

半平とお長は、星の輝く中、勧進所の寺に到着する。

（勧進所心中場）58頁9行目～65頁10行目

半平は赤い毛氈を敷き、死に場所を整える。親の気に入らぬ嫁であっても、行くところのない妻を去られず、死ぬ覚悟を決めても、実父十蔵の教えに背き、死を選ぶことの勿体なさ、養い親への不孝を悔いる。お長も母の手一つで育てられたが、母の死に水もとらずに先立つことを悔いる。二人は辞世の歌を詠み、半平が例の状箱を取り出して辞世の和歌を添えて、腹に脇指を突き当てると、お長は捨てられたと思い嘆きもだえる。

半平は、お長に抱え帯をほどかせ、二つに切り裂いて、半平の肌に引き回させ、お長には腹の子の祝い帯として残り半分の抱え帯を締めさせる。半平は主君から下賜された脇指で、お長の喉を刺し通す。半平も追いつこうと脇指を持ち直したところに、追手が取り付いて、半平から刃物をもぎ取り、生きながらえるのが孝行と留めて連れ帰った。

◎校異本七行本

京都大学文学研究科図書館蔵（Kr26）

大阪府立中之島図書館蔵本（251-404）奥書欠

長友千代治氏蔵本
松竹大谷図書館蔵本（768.42/ki45）

◎補記

本作は、『心中二ツ腹帯』の版木を流用した改作物である。異同については、次の『心中二ツ腹帯』の七行本の諸本も参考にした。以下の掲出順に改められていると考えられるが、『青梅撰食盛』の元になった版に近いのが、中之島本とも天理本とも決しがたい。

山城文庫本（149）西澤九左衛門（国立文楽劇場所蔵紙焼き写真による）
大阪府立中之島図書館蔵本（251-42）西澤九左衛門
天理図書館蔵本（911.7/1049）正本屋九左衛門

まず、登場人物名は以下のように改刻されている。

『心中二ツ腹帯』→『青梅撰食盛』
半兵衛（半六）→半平（伴六）
仁右衛門→半右衛門
ちよ→長（ちやう）

しかし、43丁ウ1行目では、天理本、京大本、中之島本では「又きのどく。仁右衛門殿。」のように『心中二ツ腹帯』のままであるが、これを「又きのどく。半右衛門殿。」に改めたのが、長友千代治本と松竹大谷図書館本である。『青梅撰食盛』の諸本の異同はここのみだが、23オ6の「ぬけ〱と」の踊り字下部と「と」の欠画がみられないのが、京大本である。

また、45丁表から裏にかけて、名前の彫り直しがなされず、『心中二ツ腹帯』のままに「ちよめ」オ5、「ちよがあつかい」オ7、「仁右衛門はけつかう者」ウ1と、直し切れていない。

なお、「半兵衛」を「半平」に直す際に、「衛」の終画が彫り残されたと思われる3オ5、12オ6、21オ7、26ウ4、34オ2、38オ4、40オ1、49オ3などがみられる。

「道行ほしづくし」については、『心中二ツ腹帯』「道行ほしのかず」は三丁であるが、これを行詰めや表記、節付けも変更して、字高を二字分ほど高くし、二丁分に新刻している。

登場人物名と、「道行」以外の『心中二ツ腹帯』との異同は以下のとおりである。

『心中二ツ腹帯』→『青梅撰食盛』
・八百やさするぞ→商人（あきんど）さすそ　3ウ6
・八百や→青物や　7オ6・23オ5・39オ5

・八百や → 青物屋　43オ5
ただし、「八百や」のまま「青物や」に変更がされていないのが、29オ2・34オ4である。
・地色中 → 地色　19オ3・19ウ1
・油掛町八百や → 弓掛町青物や　11オ6
この改定は、本文の「半兵衛」を「半平」に改刻するにあたり、近くに位置する文字譜の「中」が削れたと思われる。
・へだし → へだてし　23ウ6　但し『心中二ツ腹帯』中之島本は「だて」を埋木し、「へだてし」とする。しかし、『青梅撰食盛』とは「へだて」の字形が異なる。
・よみおはり → 其おはり　25ウ3
「よ」が確認できるのは『心中二ツ腹帯』山城文庫本・中之島本のみであり、他の『心中二ツ腹帯』と『青梅撰食盛』では、「よみ」には見えない。
・よめゝさふ → よめらさふ　26ウ1　但し『心中二ツ腹帯』中之島本・天理本は「よめらさふ」
・半兵衛が追付もどる迄 → 半平がもどるまで　29ウ7
・棹 → 棹　36ウ2　但し『心中二ツ腹帯』中之島本・天理本も「棹」。
・よしあしのやかはる　46ウ1 → よしあしのやはかはる　46オ6　但し、『心中二ツ腹帯』中之島本・天理本では「よしあしのやハかはる」と「ハ」が小書きで彫られている。
・我身　48オ6 → 此身　47ウ1
・津村　47オ5 → 御堂　46ウ6
・着にけり　48ウ7 → 着キにける　47ウ7
・脇腹より。前へ中ばひき廻す。52オ7 → 。腹に突当引廻さんとする所を。51オ7
・様子有ての切腹。52ウ4 → 是は様子有ての事　51ウ4
・主君ゑの追腹。53オ4 → 主君ゑの云訳。52オ4
・今の八百やの半兵衛ぞと　53オ5 → 青物屋の半平ぞと　52オ5
・大団円の部分である翻刻53丁ウ3以降五行分が大きく異なる。『心中二ツ腹帯』では以下のとおりである。
「のんどにぐつと突通せは。あつと計に身をもだへ。手足をのべてくるしげな。中にも夫を打守り。〳〵たる一念の。輪廻の心そ〳〵果しなき。され共四つのかり物をかへししまへば油なき。ともしびきゆるごとくにて。*かつくりと伏有様は哀にも又おしかりし。出追付と半兵衛。主のゆかりの一尺五寸さいごの極と押いたゞき。只一刀にのとふへをつらぬかれてしゝたりけり。生年既(すて)に卅八。花過比の若緑(みとり)この下闇は青物や。町人なれど古(いにし)への。武道の燈(ともし)かゝげたる末に。名をこそてらしける」54丁ウ

その他の補記

・14頁10行目、「住居」は底本では「注居」である。

・21頁10行目、23頁1行目の「討」は底本では「付」である。

後者は、12オ5「そく座に付は」で、『心中二ツ腹帯』も本作品も同じであるが、これまでの前者の翻刻では『続帝国文庫』のみ「付」を「突く」と解釈しているが、他は「討つ」としている。

◎天理大学附属天理図書館本翻刻番号第１４４３号

傾城買指南

◎底本　文楽協会豊竹山城少掾文庫（258）
◎体裁　半紙本　一冊
◎表紙　元表紙
◎題簽　無
◎行・丁数　七行・一一丁（実丁）
◎丁付　傾　壱～傾　十、傾十一終（ノド）
◎内題　傾城買指南
◎年記　無記載
◎作者　無記載
◎奥書　有
◎板元　（大坂）西沢九左衛門
（江戸）鱗形屋孫兵衛
◎番付　無
◎絵尽　無
◎初演　寛延三年八月頃（推定）江戸肥前座
『浄瑠璃本史研究』五九六頁参照
◎主要登場人物
松屋八兵衛（八公）　松山
色道軒　椀久
凸凹　玄翁法師
都路　白髭明神

◎梗概
（傾城買指南所）69頁2行目～71頁7行目
室の津の色里では、揚屋の座敷を取り払って「傾城買指南所」の額をあげている。女郎手管の枕、座持ち伝授の盃など物々しく書き並べ、中央には塗り見台が置かれ、右には問答に勝って看板を下ろさせようとするものや、弟子入りして伝授を受けようとするものが押しかけ、左には、名高き松の位の傾城たちが手管をすべて出し尽くさせようと集っている。

講談の頭取は「松」の十八公から八公こと、松屋八兵衛が口上に立ち出で、師匠色道軒が「傾城買指南所」の看板を出したところ、お歴々が早朝より出かけきて、師匠だけでなく、高弟の私までありがたく存じ奉ると口上を述べると、宝禄頭巾に伊達紙子で色道軒が登場する。

紙子と編笠は、日本国中の色里を巡った徳によって、女郎買の元祖萬屋助六から中興の開山藤屋伊左衛門に譲られたものを受け継いだ系図正しいものだと語り始める。

（客への伝授）71頁8行目～74頁3行目

色好みの若盛りのものたちが、粋な客として持てるような伝授が受けたいというと、まずは男ぶりを揃えるのが第一で、朝夕の摺磨き、髪型から服装や歩き方、酒の飲み方、技芸の披露の仕方を語り、さらには始末勘略が大事であると極意を語る。

するると中から凸凹というものが、傾城狂いが、始末勘略によってできるのかと問うと、初会は祝言のように、また連れ添う女房のように扱えばよく、遣う必要のない金は遣わず、遣うべきときに見事に使うべきだと助言する。そして、相手が快くもてなすのは、無心をしたいためだと邪推してはならないと伝授する。

（傾城への伝授）74頁4行目～75頁8行目

次に傾城の都路が、客に対する伝授が受けたいと迫る。傾城は慎みが大事で、短気、間夫狂い、いやな客の対応を辛抱するのが秘事であると説く。都路から反論されると、短気は癇癪のわざとなるので慎み、誠の勤めに精を出し、情けの道をわきまえていれば、間夫狂いは傾城色道の奥義であると諭す。

（太鼓持ちの由来）75頁9行目～78頁1行目

八公が太鼓持ちの由来を語りだす。能の太鼓は台に据えずに後見に持たせて置くので、太鼓の後見を太鼓持ちという。そして、座敷での盃のやりとりの様子などを小室節に載せて披露する。色道軒は、八公こそが、座持ちの名人でその形を飲み込むといいと言う。

（椀久松山の問答）78頁2行目～81頁2行目

そこに末座から松山が膝をすり寄せて、色道軒に向かって、椀久ではないかと縋りつくが、傾城に誠があるはずがないと邪見に扱う。八公は、音に聞こえた椀久松山の粋の詰め開きを後学のために見学しようと都路とともに襖の陰に隠れる。

松山が椀久に向かって思いの丈を述べると、椀久は、傾城の涙は恐ろしいものだと立っていこうとする。松山は誠の色の極意は、手にも取らず目に見えず心の底で恋するものだという。問答は続き、傾城は第六天の魔王で、魔道に引きずり込むものだというと、傾城こそあまねく人の心を休め、菩薩の行にも勝るという。客に対する手管は何の菩薩の行かと問えば、観音薩垂の行と答える。色は迷いの種、恋は菩提の種、生は死のもとという。釈迦を生んだ摩耶夫人をはじめ、どんなに名を馳せた女性でもいずれは死んでしまうのだという。

（玄翁法師と白髪の明神）81頁3行目～81頁10行目

狂言綺語の戯れに不流文字の奥義がある。迷いが晴れたのかというと、二人の姿が変じた。松山は、菩提に入りながら愛着の雲が晴れることがなかったが、その執念を振り払い悟りの道に誘おうと示現した白髪の明神であり、椀久は玄翁法師であった。明神は、玄翁が肌身離さず持っている翁の面こそ明神の顔で、禅法流布の名僧となるようにと朗らかにのたまうと、居並ぶ男女は、雲間に響く楽器に変じてしまった。玄翁は末世に奇特を残そうと那須野の原に向かう。

◎補記

七行校異本　大阪府立中之島図書館蔵本（甲和／513）

底本の豊竹山城少掾文庫本の見返しに「竹本采女初代豊竹若太夫後年東元祖越前少掾之舎弟ニテ　江戸開発初代豊竹新太夫　後ニ豊竹肥前掾藤原清正　受領シ此芝居ヲ江戸肥前座ト称ス　大阪東之元祖豊竹越前少掾之門人成　宝暦八戊寅年四月十五日江戸ニ於テ歿ス」豊竹山城少掾の書入れと押印がある。

『国書総目録』『古典籍総合目録』には寛政七年初演とあるが、この浄瑠璃作品の初演ではない。

また、『義太夫年表近世篇1』三四三頁に「文楽協会蔵の西沢九左衛門、鱗形屋孫兵衛刊七行正本による。内題に「傾城買指南」とあり、奥書に豊竹肥前掾清正、豊竹丹後掾清澄の署名がある。上演年次は未詳であるが、肥前掾・丹後掾が正本奥書に名を連ねるのは、宝暦元年八月以後、肥前が丹後から宮内を経て、再び肥前にかえる宝暦五年春以前の間である。」とあるが、肥前掾と丹後掾の連名の奥書は大阪府立中之島図書館本で、文楽協会蔵本は本書翻刻のとおり、豊竹肥前掾の単署である。

・75頁10行目「秘密」は「秘蜜」である。

（坂本清恵）

義太夫節人形浄瑠璃上演年表（一七一六－一七六四）

一、この年表は、享保期から明和元年にかけて初演された義太夫節人形浄瑠璃作品について、上演年月と翻刻状況を中心に示したものである。

一、上演年月と外題は主に『義太夫年表　近世篇』八木書店に拠り、神津武男『浄瑠璃本史研究』八木書店を参照した。

一、同一の興行外題による再演（推定を含む）は、その正本の現存が『義太夫年表　近世篇』等で確認されているものを掲出した。

一、年表の座（所演）欄の略号は以下の通り。備考欄の「＊」は所演に係る注記事項。

豊：大坂豊竹座
竹：大坂竹本座
出：大坂伊藤出羽掾座
明：大坂明石越後掾座
陸：大坂陸竹小和泉座
北：大坂北本和泉座
宇：京宇治座
扇：京扇谷豊前掾座
外：江戸外記座
辰：江戸辰松座
肥：江戸肥前座
土：江戸土佐座
喜：竹本喜世太夫座
未：所演座未詳

一、翻刻欄には、第二次世界大戦後、『義太夫節浄瑠璃未翻刻作品集成』以前に刊行された翻刻書（原則として私家版および紀要等の雑誌に掲載されたものは除く）の有無について、以下の記号で示した。

▼：未翻刻
▲：未翻刻（戦前に翻刻あり）
▽：改題本または再演本で未翻刻（原作は翻刻あり）
×：正本の現存不明

一、翻刻欄または備考欄に記した翻刻書等の略号は以下の通り（丸文字は収録巻）。翻刻書が複数ある場合、近松門左衛門作品は『近松全集』岩波書店を、それ以外は最新刊を掲げた。なお、翻刻の会については、『同志社国文学』同志社大学国文学会に掲載された翻刻の一覧を年表末に付記することとした。

一風：『西沢一風全集』汲古書院、二〇〇二～二〇〇五年
海音：『紀海音全集』清文堂出版、一九七七～一九八〇年
加賀：『古浄瑠璃正本集　加賀掾編』大学堂書店、一九八九～一九九三年
義浄：『竹本義太夫浄瑠璃正本集』大学堂書店、一九九五年
旧全：『日本古典文学全集』小学館、一九七〇～一九七六年
旧大：『日本古典文学大系』岩波書店、一九五七～一九六七年
浄翻：『浄瑠璃正本翻刻集』国立劇場、一九八八年～
真宗：『大系真宗史料　伝記編4　真宗浄瑠璃』法藏館、二〇〇九年
新全：『新編日本古典文学全集』小学館、一九九四～二〇〇二年
新大：『新日本古典文学大系』岩波書店、一九八九～二〇〇五年
叢書：『叢書江戸文庫』国書刊行会、一九八七～二〇〇二年
近松：『近松全集』岩波書店、一九八五～一九九四年
半二：『日本古典全書　近松半二集』朝日新聞社、一九四九年
文流：『錦文流全集』古典文庫、一九八八～一九九一年
未戯：『未翻刻戯曲集』国立劇場、一九六七年～
近世篇：『義太夫年表　近世篇』八木書店、一九七九～一九九〇年
未翻刻：『義太夫節浄瑠璃未翻刻作品集成』玉川大学出版部、二〇〇六年～

年	月	座	外題	翻刻	備考
享保1	1	豊	八幡太郎東初梅	海音⑥	
	1頃	豊	鎌倉三代記	海音④	
	夏頃	豊	新板兵庫築島	海音④	
2	春	豊	傾城国性爺	海音③	
	2	竹	国性爺後日合戦	近松⑩	
	8	竹	鑓の権三重帷子	近松⑩	
	9	豊	照日前都姿	×	
	10以前	豊	八百屋お七	海音③	
	10	喜	八百屋お七恋緋桜	▼	＊江戸
	11	竹	聖徳太子絵伝記	近松⑩	
3	1	竹	山崎与次兵衛寿の門松	近松⑩	
	2	竹	日本振袖始	近松⑩	
	3	喜	八百屋お七恋緋桜付り後日	▼	＊江戸
	7	竹	曽我会稽山	近松⑩	
	8	豊	傾城吉原雀	×	
	10	竹	日蓮上人記	×	
	10	竹	傾城酒呑童子	近松⑩	
	11以前	豊	山椒太夫葭原雀	海音④	
	11	豊	今様賢女手習鑑	×	
	11	竹	博多小女郎波枕	近松⑩	
	12	竹	善光寺御堂供養	近松⑭	
4	1	豊	義経新高館	海音④	
	2	竹	本朝三国志	近松⑪	
	5	豊	神功皇后三韓責	海音⑤	
	8	豊	頼光新跡目論	海音⑤	
	8	竹	平家女護島	近松⑪	
	8	辰	八百屋お七江戸紫	▼	
	10	豊	業平昔物語	▽	『河内通』加賀④の改題
	11	竹	傾城島原蛙合戦	近松⑪	
	この年	豊	笠屋三勝二十五年忌	×	『二十五年忌』海音⑥の別本
	この年	喜	熊野権現烏午王	文流㊦	＊大坂曽根崎芝居
	この年	喜	竜宮東門阿波鳴戸	×	＊大坂曽根崎芝居
5	1	豊	鎮西八郎唐土船	海音⑤	
	3	竹	井筒業平河内通	近松⑪	
	8	竹	双生隅田川	近松⑪	

年	月	座	外題	所収	備考
	9	豊	日本傾城始	海音⑤	
	11	竹	日本武尊吾妻鑑	近松⑪	
	12	竹	心中天の網島	近松⑪	
	この年	竹	河内国姥火	▲	未翻刻二⑬
6	1	豊	三輪丹前能	海音⑤	
	2	竹	津国女夫池	近松⑫	
	5	豊	伏見常盤昔物語	×	
	7	竹	女殺油地獄	近松⑫	
	閏7	豊	呉越軍談	海音⑥	
	8	竹	信州川中島合戦	近松⑫	
	10	豊	富仁親王嵯峨錦	海音⑥	
7	1	竹	唐船噺今国性爺	近松⑫	
	1	豊	大友皇子玉座靴	海音⑥	
	1	辰	重井筒難波染	▽	『心中重井筒』近松⑤の改題 近世篇〈補訂篇〉参照
	3	竹	浦島年代記	近松⑫	
	4	豊	心中二ツ腹帯	海音⑥	
	4	竹	心中宵庚申	近松⑫	
	6	辰	心中二つ腹帯	▽	『心中二ツ腹帯』海音⑥の改題
	9	竹	仏御前扇車	近松⑭	
	11	豊	東山殿室町合戦	海音⑦	
	顔見世	豊	坂上田村麿	海音⑥	近世篇参照
8	1	豊	玄宗皇帝蓬莱鶴	海音⑦	
	1	未	花毛氈二つ腹帯	×	＊江戸『心中二ツ腹帯』海音⑥の改題
	2	竹	大塔宮曦鎧	近松⑭	
	5	豊	記録曽我玉笄髷	▼	未翻刻二⑭
	7	豊	井筒屋源六恋寒晒	一風④	
	7	豊	傾城無間鐘	海音⑦	
	11	豊	建仁寺供養	一風④	
	11	竹	桜町昔名花	×	
9	1	竹	関八州繋馬	近松⑫	
	2	豊	頼政追善芝	一風④	
	7	竹	諸葛孔明鼎軍談	叢書⑨	
	10	豊	女蝉丸	一風⑤	
	11	竹	右大将鎌倉実記	▲	未翻刻一⑪
10	1	豊	昔米万石通	一風⑤	
	3	豊	南北軍問答	一風⑤	
	5	豊	身替弖張月	一風⑤	

年	月	座	外題	印	備考
	5	竹	出世握虎稚物語	▲	未翻刻一①
	6	竹	復鳥羽恋塚	▽	『一心五戒魂』義浄㊤の改題
	9	竹	大内裏大友真鳥	叢書⑨	
	10	豊	大仏殿万代石楚	一風⑤	
11	2	豊	曽我錦几帳	▼	未翻刻二⑮
	4	豊	北条時頼記	一風⑥	
	9	竹	伊勢平氏年々鑑	▲	未翻刻一④
12	1以前	外	頼政追善芝	▽	『頼政追善芝』一風④の江戸上演
	1	竹	敵討御未刻太鼓	▲	未翻刻二⑯
	2	豊	清和源氏十五段	▼	未翻刻一⑥
	4	竹	七小町	叢書⑨	
	8	竹	三荘太夫五人嬢	叢書⑨	
	8	豊	摂津国長柄人柱	叢書⑩	
13	2	豊	尊氏将軍二代鑑	▼	未翻刻一⑤
	3	竹	工藤左衛門富士日記	▲	未翻刻一③
	5	豊	南都十三鐘	▼	未翻刻二⑰
	5	竹	加賀国篠原合戦	叢書⑨	

年	月	座	外題	印	備考
	この頃	豊	頼政扇の芝	▽	『頼政追善芝』一風④の改題
14	1	豊	後三年奥州軍記	叢書⑩	
	2	竹	尼御台由比浜出	▼	未翻刻三㉓
	6	竹	新板大塔宮	×	『大塔宮曦鎧』近松⑭の改題
	8	竹	眉間尺象貢	▲	未翻刻五㊸
	9	豊	藤原秀郷俵系図	▼	未翻刻一②
	11	竹	京土産名所井筒	▼	未翻刻一⑦
15	1	豊	蒲冠者藤戸合戦	▼	未翻刻三㉔
	2以前	竹	梅屋渋浮名色揚	▼	未翻刻二⑱
	2	竹	三浦大助紅梅靮	叢書㊳	
	5	豊	本朝檀特山	▲	未翻刻三㉕
	8	竹	信州姨拾山	▲	未翻刻一⑧
	8	豊	楠正成軍法実録	▼	未翻刻二⑲
	11	竹	須磨都源平躑躅	▲	未翻刻一⑩
16	1	豊	源家七代集	▼	未翻刻二⑳
	4	豊	和泉国浮名溜池	▼	未翻刻二㉑
	6	豊	酒呑童子枕言葉	×	『酒呑童子枕言葉』近松⑥の豊竹座上演
	9	竹	鬼一法眼三略巻	▲	未翻刻一⑨

年	月	座	作品	区分	備考
	9以前	豊	殺生石	海音④	
	9以前	豊	忠臣青砥刀	海音⑦	
	9以前	豊	本朝五翠殿	海音④	
	9以前	豊	浄瑠璃古今序	海音④	
	9以前	豊	金平法問諍 忠臣身替物語	▽	『今様かしは木忠臣身替物語』義浄㊤の改題
	10	豊	赤沢山伊東伝記	▼	未翻刻一⑫
17	4	豊	八百屋お七恋緋桜	▽	『八百屋お七』海音③の改題
	4	竹	増補用明天王	▼	未翻刻七(72)
	5	豊	今様傾城反魂香	▼	未翻刻八(73)
	6	竹	伊達染手綱	▽	『丹波与作待夜のこむろぶし』近松⑤の改題
	9	竹	壇浦兜軍記	旧全㊺	
	9	豊	待賢門夜軍	▼	未翻刻四㉝
	10	豊	忠臣金短冊	叢書⑩	
	12	出	前内裏島王城遷	▼	未翻刻七(63)
18	2	豊	お初天神記	▽	『曽根崎心中十三年忌』海音⑦の改題
	4	竹	車還合戦桜	▲	未翻刻三㉖
	4	豊	鎌倉比事青砥銭	▲	未翻刻二㉒

年	月	座	作品	区分	備考
	6	竹	景事揃	×	
	7	竹	重井筒容鏡	▽	『心中重井筒』近松⑤の改題
	7	豊	莠伶人吾妻雛形	▼	未翻刻五㊹
19	2	竹	応神天皇八白幡	叢書㊳	
	5以前	辰	伊勢平氏年々鑑	▽	『伊勢平氏年々鑑』未翻刻④の江戸上演
	5以前	辰	傾情山姥都歳玉	▼	未翻刻六(53)
	5以前	辰	西行法師墨染桜	▽	『西行法師墨染桜』文流㊤の江戸上演
	6	豊	曽我昔見台	▼	未翻刻三㉗
	8	豊	那須与一西海硯	叢書⑪	
	10以前	未	契情我立杣	▼	＊江戸 未翻刻八(74)
	10	竹	芦屋道満大内鑑	新大(93)	
20	1	竹	元日金歳越	▲	未翻刻三㉘
	2	豊	南蛮鉄後藤目貫	×	写本（八種）が伝存 叢書⑪底本は演博本『南蛮銅後藤目貫』
	5	豊	万屋助六二代褹	▲	未翻刻三㉙
	8	豊	苅萱桑門築紫[足+樂]	▲	未翻刻四㉞

年	月	座	外題	翻刻	備考
	9	竹	甲賀三郎窟物語	叢書㊳	
元文1	2	竹	赤松円心緑陣幕	▼	未翻刻五㊺
	2	竹	天神記冥加の松	×	
	3	豊	和田合戦女舞鶴	叢書⑪	
	5	竹	十二段長生島台	×	
	5	竹	敵討襤褸錦	▲	未翻刻六(54)
	10	竹	猿丸太夫鹿巻毫	叢書㊳	
	この頃	未	今様東二色	▼	*江戸 未翻刻四㉟
2	1	豊	安倍宗任松浦簦	▲	未翻刻五㊻
	1	竹	御所桜堀川夜討	叢書㊳	
	1	竹	菅丞相冥加松梅	×	『浄瑠璃本史研究』参照
	7	豊	釜渕双級巴	▲	未翻刻四㊱
	10	竹	太政入道兵庫岬	▼	未翻刻五㊼
3	1	竹	行平磯馴松	叢書㊳	
	4	豊	丹生山田青海剣	▲	未翻刻四㊲
	8	竹	小栗判官車街道	叢書㊵	
	10	豊	茜染野中の隠井	▲	未翻刻六(56)
4	2	豊	奥州秀衡有鬠壻	未戯③	
	4	竹	ひらかな盛衰記	旧大(51)	未翻刻八(75)

年	月	座	外題	翻刻	備考
	8	豊	狭夜衣鴛鴦剣翅	新大(93)	
5	2	豊	鶊山姫舎松	叢書⑪	
	4	豊	本田義光日本鑑	▲	未翻刻五㊽
	4	竹	今川本領猫魔館	▲	未翻刻八(76)
	7	竹	将門冠合戦	▲	未翻刻七(64)
	9	豊	武烈天皇艤	▲	
	11	竹	追善百日曽我	×	
	11	竹	恋八卦柱暦	▽	『大経師昔暦』近松⑨の改題（戦前に翻刻）
寛保1	1	竹	伊豆院宣源氏鏡	▲	未翻刻七(65)
	3	豊	本朝斑女簦	▼	
	5	竹	新うすゆき物語	新大(93)	
	5	豊	**青梅撰食盛**	▼	未翻刻八(82)
	7	豊	播州皿屋舗	叢書⑪	
	9	豊	田村麿鈴鹿合戦	▼	未翻刻四㊳
2	2	竹	花衣いろは縁起	▼	未翻刻四㊴
	3	豊	百合稚高麗軍記	▼	未翻刻四㊵
	3	肥	石橋山鎧襲	▼	未翻刻四㊶
	4	竹	室町千畳敷	▽	『津国女夫池』近松⑫の改題（戦前に翻刻）

年	月	座	外題	印	備考
	7	竹	男作五雁金	叢書㊵	
	8	豊	道成寺現在蛇鱗	叢書㊲	
	9	豊	鎌倉大系図	▼	未翻刻五㊾
3	3	豊	風俗太平記	▼	
	4	竹	入鹿大臣皇都諍	▼	未翻刻六(56)
	5	竹	丹州爺打栗	▼	未翻刻三㉚
	8	豊	久米仙人吉野桜	叢書㊲	
延享1	3	竹	児源氏道中軍記	▼	未翻刻六(57)
	3	肥	義経新含状	▲	未翻刻八(77) 改題本『後藤伊達瞶』が戦前に翻刻
	4	豊	潤色江戸紫	▲	
	9	豊	柿本紀僧正旭車	▼	未翻刻七(66)
	11	竹	ひらかな盛衰記	▽	近世篇参照
	11	竹	八曲筐掛絵	▼	未翻刻七(72)
	12	豊	遊君衣紋鑑	▼	未翻刻六(58)
2	1	明	三軍桔梗原	▼	
	2	竹	軍法富士見西行	叢書㊵	
	2	豊	詩近江八景	▼	未翻刻八(78)
	3	未	萬葉女阿漕	×	写本（一種）が伝存 未翻刻七(67)

年	月	座	外題	印	備考
	4	明	延喜帝秘曲琵琶	▼	
	5	豊	増補大仏殿猷礎	▼	未翻刻六(59)
	7	竹	夏祭浪花鑑	旧大(51)	
	8	豊	浦島太郎倭物語	▼	未翻刻八(79)
	閏12	陸	唐金茂衛門東鬘	▼	
3	1	竹	楠昔噺	叢書㊵	
	5	竹	追善仏御前	×	『仏御前扇車』近松⑭の改題
	5	竹	追善重井筒	▽	『心中重井筒』近松⑤の改題
	5	豊	酒呑童子出生記	▼	未翻刻五㊿
	7以前	竹	博田小女郎思湫	▽	『博多小女郎波枕』近松⑩の改題
	8	陸	歌枕棣棠花合戦	▼	未翻刻七(68)
	8	竹	菅原伝授手習鑑	旧全㊼	
	10	陸	女舞剣紅楓	▼	未翻刻六(60)
	11	豊	花筏巌流島	▼	未翻刻八(80)
4	2	豊	裙重紅梅服	▼	
	2	陸	鎮西八郎射往来	▼	
	2以降	陸	氷室地大内軍記	×	
	3	豊	万戸将軍唐日記	▼	

年	月	座	外題	翻刻	備考
	7	豊	悪源太平治合戦	▼	
	8	竹	傾城枕軍談	▼	未翻刻三㉛
	10	肥	いろは日蓮記	▼	未翻刻四㊷
	11	竹	義経千本桜	新大(93)	
寛延1	1	豊	容競出入湊	未戯⑫	
	7	豊	東鑑御狩巻	▼	未翻刻七(69)
	8	竹	仮名手本忠臣蔵	新全(77)	
	9	宇	住吉誕生石	▼	
	11	豊	摂州渡辺橋供養	叢書㊲	
2	3	豊	八重霞浪花浜荻	浄翻①	
	4	竹	粟島譜嫁入雛形	▼	未翻刻五(51)
	7	辰	粟島譜利生雛形	×	『粟島譜嫁入雛形』未翻刻(51)の改題
	7	豊	華和讃新羅源氏	真宗	
	7	豊	なには五節句操大踊	×	
	7	竹	双蝶蝶曲輪日記	新全(77)	
	10	肥	日蓮記児硯	▽	『いろは日蓮記』未翻刻㊷の改題
	11	豊	物ぐさ太郎	▼	未翻刻五(52)
	11	竹	源平布引滝	旧大(52)	未翻刻八(81)

年	月	座	外題	翻刻	備考
3	3	豊	手向八重桜	浄翻①	
	6	豊	夏楓連理枕	▼	
	8	肥	新板累物語	▼	未翻刻六(61)
	8頃	豊	**傾城買指南**	▼	未翻刻八(82)『浄瑠璃本史研究』参照
	11	竹	文武世継梅	▼	未翻刻六(62)
宝暦1	1	豊	玉藻前曦袂	▼	未翻刻七(70)
	2	竹	恋女房染分手綱	▼	未翻刻七(71)
	4	豊	浪花文章夕霧塚	▼	
	7	竹	仕合丸浪花入船	×	
	7	豊	頼政扇子芝	▽	『頼政追善芝』一風④の改題
	8	肥	八幡太郎東海硯	▼	
	10	豊	日蓮聖人御法海	未戯⑩	
	10	竹	役行者大峰桜	叢書⑭	
	12	豊	一谷嫩軍記	▲	未翻刻三㉜
	この頃	肥	親鸞聖人絵伝記	×	
2	2	竹	名筆傾城鑑	▼	
	5	竹	世話言漢楚軍談	▼	
	7	肥	太平記枕言	▼	

	11	竹	伊達錦五十四郡	▼	
	12	豊	倭仮名在原系図	▼	
3	5	竹	愛護稚名歌勝関	叢書⑭	
	7	豊	雄結勘助島	▼	
4	1	竹	菖蒲前操弦	▲	
	2	豊	相馬太郎孝文談	▼	
	4	竹	小袖組貫練門平	▼	
	7	豊	義経腰越状	▼	
	10以前	竹	太平記曦鎧	▽	＊京 『大塔宮曦鎧』近松⑭の改題
	10	竹	小野道風青柳硯	叢書⑭	
	10頃	竹	恋女房染分手綱	▽	＊京
	12	豊	天智天皇苅穂庵	▼	
5	4	豊	三国小女郎曙桜	▼	
	6	竹	庭涼座鋪操	▼	
	7	豊	双扇長柄松	▼	
	7	竹	庭涼操座鋪	▼	
	11	竹	拍子扇浄瑠璃合	▼	
	11	竹	年忘座鋪操	▼	
6	2	竹	崇徳院讃岐伝記	▼	

	3	豊	義仲勲功記	▼	
	5	竹	業平男今様井筒	▽	＊京 『京土産名所井筒』未翻刻⑦の改題
	10	竹	平惟茂凱陣紅葉	▼	
	閏10	豊	甲斐源氏桜軍配	▼	
	この年	豊	和田合戦女舞鶴	▽	近世篇参照
7	1	豊	写個足利染	▼	
	2	竹	姫小松子の日遊	▼	
	3	豊	前九年奥州合戦	▼	
	7	肥	泉三郎伊達目貫	▼	
	9	竹	薩摩歌妓鑑	▼	
	12	豊	祇園祭礼信仰記	叢書㊲	
	12	竹	昔男春日野小町	▼	
8	3	竹	敵討崇禅寺馬場	▼	
	8	肥	聖徳太子職人鑑	▼	
	8	竹	蛭小島武勇問答	▼	
9	2	竹	日高川入相花王	未戯⑦	
	3	豊	芽源氏鶯塚	▼	
	5	豊	難波丸金鶏	▲	
	9	竹	太平記菊水之巻	叢書⑭	

年	月	座	外題	印	備考
	10	竹	楠正行軍略之巻	×	*京『太平記菊水之巻』叢書⑭の改題
	12	豊	先陣浮洲巌	▼	
10	3	豊	桜姫賤姫桜	▼	
	7	竹	極彩色娘扇	▼	
	11	竹	年忘座舗操	×	*大坂曽根崎新地芝居
	12	豊	祇園女御九重錦	叢書㊲	
11	1以前	竹	浪花土産年玉操	×	*京
	1	竹	安倍清明倭言葉	▼	
	3	豊	八重霞浪花浜荻	▽	*大坂曽根崎新地芝居 近世篇参照
	5	竹	由良湊千軒長者	▼	
	5	豊	曽根崎模様	▼	*大坂曽根崎新地芝居
	9	豊	人丸万歳台	▼	
	9頃	豊	下総国累蟲	×	近世篇〈補訂篇〉参照
	10	竹	冬籠難波梅	×	
	11	竹	古戦場鐘懸の松	▼	
12	2	豊	三好長慶碪軍談	▼	
	3	竹	花系図都鑑	▼	
	閏4	豊	岸姫松轡鑑	▼	
	6	竹	夏景色浄瑠璃合	×	
	夏	未	忠臣五枚兜	×	写本（一種）が伝存『浄瑠璃本史研究』参照
	9	竹	奥州安達原	半二	
13	3	豊	洛陽瓢念仏	▼	
	4	竹	山城の国畜生塚	叢書⑭	
	4	竹	天竺徳兵衛郷鏡	未戯⑤	
	4	豊	新舞台咲分牡丹	▼	
	7	豊	新舞台扇子錦木	▼	『浄瑠璃本史研究』参照
	8	竹	御前懸浄瑠璃相撲	×	
	12	豊	馬場忠太紅梅箙	▼	
	宝暦年中	竹	あづま摂恋山崎	×	
	宝暦年中	竹	天神記恵松	▽	『天神記』近松⑧の改題
	宝暦末頃	未	鉐石川五右衛門	×	*京『浄瑠璃本史研究』参照
明和1	1	土	吉野合戦名香兜	▼	
	1	北	須磨内裏猛弓勢	▼	
	1	竹	傾城阿古屋の松	▼	
	3	外	増補姫小松子日の遊四段目	▼	『浄瑠璃本史研究』参照
	4	豊	官軍一統志	▼	

4	肥	祇園祭金閣寺小袖之鏡	×	
4	竹	京羽二重娘気質	▲	
夏	肥	乱菊枕慈童	×	『浄瑠璃本史研究』参照
7	竹	敵討稚物語	▲	
8	外	明月名残の見台	×	
8	扇	増補女舞剣紅葉	▼	
9	外	菊重藨月見	×	
10	豊	嬢景清八島日記	▼	近世篇参照
11	豊	二ツ腹帯	▽	近世篇〈補訂篇〉参照
11	竹	江戸桜愛敬曽我	×	
12	竹	冬桜咲分錦	×	近世篇〈補訂篇〉参照
12	豊	いろは歌義臣鍪	▲	

（義太夫節正本刊行会）

［付記］翻刻の会（同志社大学）による翻刻一覧

享保13　尊氏将軍二代鑑　『同志社国文学』五七・六〇・六二
元文5　武烈天皇艤　『同志社国文学』六四・六六
寛保1　本朝斑女簑　『同志社国文学』四〇
寛保3　風俗太平記　『同志社国文学』三七
延享1　潤色江戸紫　『同志社国文学』九二・九三
延享4　悪源太平治合戦　『同志社国文学』七〇・七五
宝暦2　名筆傾城鑑　『同志社国文学』四五・四六
宝暦8　聖徳太子職人鑑　『同志社国文学』九六・九八
宝暦11　曽根崎模様　『同志社国文学』四一・四三
明和5　よみ売三巴　『同志社国文学』八二
明和6　振袖天神記　『同志社国文学』八八・九〇
寛政9　会稽多賀誉　『同志社国文学』七四・七七

義太夫節正本刊行会（ぎだゆうぶししょうほんかんこうかい）

飯島　満	伊藤りさ	上野左絵	川口節子
黒石陽子	坂本清恵*	桜井　弘	髙井詩穂
田草川みずき	富澤美智子	原田真澄	東　晴美
渕田裕介	森　貴志	山之内英明	

（*は本巻担当者）

義太夫節浄瑠璃未翻刻作品集成（ぎだゆうぶしじょうるりみほんこくさくひんしゅうせい）（第8期（だいき））㉜

青梅撰食盛（あおうめつわりざかり）

傾城買指南（けいせいかいしなん）

2025年2月25日　初版第1刷発行

編者 ―――――― 義太夫節正本刊行会

発行者 ―――――― 小原芳明

発行所 ―――――― 玉川大学出版部

〒194-8610 東京都町田市玉川学園6-1-1
TEL 042-739-8935　FAX 042-739-8940
http://www.tamagawa.jp/up/
振替 00180-7-26665

装丁 ―――――― 松田洋一（原案）・しまうまデザイン

印刷・製本 ――― 創栄図書印刷株式会社

乱丁・落丁本はお取り替えいたします。

© Gidayubushi Shohon Kankokai　Printed in Japan

ISBN978-4-472-01704-9 C1091 / NDC912